ステキな
広告ジオラマ

企業14社が思わず依頼した「情景」の魅力

情景師アラーキー

誠文堂新光社

［はじめに］

宣伝のみならず「広める」「告知する」ための「広告ジオラマ」！

２１０５年10月1日、サラリーマンから独立して、フリーランスのジオラマ作家になりました。

子供の頃から憧れていた「趣味を仕事」にする人生の幕開けです！　通勤ラッシュ、上長からの無理難題、出世競争……すべてからの解放！　職場は自宅、通勤時間ゼロ生活、好きな物に囲まれた居心地がいい自宅でジオラマ制作三昧《ざんまい》なんて、あぁ素晴らしきフリーランス生活！

しかし、はたしてそんなにうまくいくのだろうか？……その時私は45歳。夢を追うには少し年齢を重ね過ぎていないか？　しかも、東芝という大企業で家電製品のデザイナーとして働いたわけで、積み上げてきた23年のデザイナーのスキルを活かした仕事ではなく、3歳から作り始めた模型作りと、キャリアこそ長いだけのジオラマ制作作業というニッチな分野に飛び込むのは無謀としか思えない転職です。

どうして超安定した大企業のサラリーマンという大きな船から、ちょっとした風で転覆してしまうフリーランスの小舟に乗り換えようかと思ったのか？　これまた夢見がちな少女のようですが、「運命だと思ったから」。本当にその時にはそう感じました。そして神様のいたずらなのか、「独立しても食べていける！」と思えたチャンスと、「会社から卒業せねばならぬ」というピンチが、同時に舞い降りてきたのです。

まずは「ジオラマ作家として独立できる」きっかけは、ツイッターで大注目されたことでした。いわゆる「バズる」という現象。「リアル過ぎるゴミ捨て場」のジオラマ写真が多くの方の目に触れて、世界じゅうに拡散したことでした。

バットマンの映画に登場する犯罪都市「ゴッサムシティ」を超リアルに再現したジオラマ写真。このたった1枚の写真がきっかけで、ＴＶやネット記事などの取材が殺到し、念願の自分のジオラマ本の執筆依頼や、具体的なジオラマ制作の仕事が入ってくるという怒涛のチャンスが突然訪れました。これは一時的なことなのか？　いや、コツコツと活動してきてやっと訪れたチャンスではないか！　大波に乗らない手はない！

一方、まったく同じタイミングで、会社の部署異動がありました。新たな部署は期待されている分野ではありますが、私の今までのスキルが生かせない。しかも、あまりの忙しさで二足のわらじで活動していたジオラマ制作が完全にできなくなりそう。と、サラーリマン人生の大転換期を迎えていました。

このまま会社に身を捧げて定年を迎えるか？　それとも辞めるか？　の選択をしなければならなくなったのです。長年勤めた会社を辞めるきっかけには、辞めたあとの仕事がある！　という目論見がもっとも大切。しかも、リストラなど追い込まれる状況ではなく、自ら望んで卒業と決心することは逆に覚悟が必要です。

という、運命的な独立のきっかけ話はさておき、現実問題として、食べていける収入がジオラマ作家として得られるのかが大問題です。「ツイッターでバズったから仕事を辞めて独立した」と書けば、なんて無謀なイタイ人なの！と思われるのがオチですが、結果から言うと、「この世にこんなにジオラマの仕事があるなんて！」と、自分でも驚くほど多くのビジネスがある分野だと知ることになっていくのです。

この本では、独立した２０１５年から２０２０年までの、ジオラマ作家として活動した仕事の一部を紹介しています。有名企業のＣＭ用から、国の震災復興プロジェクトまで、幅広いジオラマ仕事を経験しました。今まで趣味で作ってきたジオラマと、これら仕事として依頼されたジオラマは何が違うのか？　それは、「ジオラマを通して何かをアピールするため」に作られる物であること。

広めるためのジオラマ、告知するためのジオラマ、つまりそれは「広告ジオラマ」！　その名前は広告代理店からの依頼によって作るＣＭ用のジオラマ制作が多いのも理由ですが、それ以外の仕事で作ったジオラマにも、ある活動や思いを広く伝えるために、写真やイラストなどよりもジオラマが必要とされたことにも由来します。

ジオラマを和訳した言葉「情景」。私にとってもっとも思い入れのある言葉で、私の活動名「情景師」にも使っていますが、「心に感じさせる場面や様子」という意味です。細かく作り込まれたミニチュアの風景＝ジオラマではなく、それを見たことで心の中に湧き上がる感情や風景が重要であるという解釈は、本当に素敵だと思います。

その湧き上がった思いを広めるための「広告ジオラマ」を作ること、ジオラマ作家はなんて素敵な仕事なのでしょう！　と日々感じています。

contents

フリーランスのジオラマ作家として

活動してきた10の話

～仕事のスタイル・お金の話・依頼と契約～

1 独立前に立てた活動方針の４本柱

フリーのジオラマ作家になる時、たんに「ジオラマを作る業種」ではなく、業態に活動方針の４本柱を設定しました。

①ジオラマを作る「制作活動」
⬇依頼による制作

②ジオラマを見せる「展示活動」
⬇ジオラマ作品の個展

③ジオラマを広める「執筆活動」
⬇書籍、コラム、トークイベント

④ジオラマを教える「教室活動」
⬇制作講座、ワークショップ

まずは収入の要を①～③として、３年以内に、サラリーマンをやっていた時の収入に達するように目標を立てました。

④はもっと経験を積んで年齢を重ねてからでも可能と考え、具体的な設定からは外しました。

結果として収入は、バラツキはあるものの、制作活動が60％、展示活動と執筆活動が併せて40％という割合に。サラリーマンを辞めた時は東芝の課長職でしたのでそこそこの収入がありましたが、年収レベルでは落ちることなく、毎年少しずつ上がっている感じで仕事ができています。

2 自分を売り込む最大の営業ツール「ツイッター」

自分の名前が売れたきっかけは、ジオラマ作品写真が拡散したツイッターでした。「棚からぼた餅のような偶然性」のある売り込み方法に思えますが、拡散以前から私がツイッターで将来話題になったらいいなと思って、自分のジオラマ作品を多く投稿してはいたのです。そのおかげで、話題になった写真だけで宣伝効果があったのではなく、気になって「情景師アラーキー」で検索するとジオラマ作品の洪水が！となったわけで、当初からそういう芋づる効果を狙っていました。

結果として、「あのリアルなゴミ捨て場のジオラマ写真が話題の人は凄いジオラマを作っている！」とまとめサイトがいくつもできたり、ＴＶ取材の際にはその他の写真が多く紹介されたりして、ジオラマ制作依頼や展示会のオファーに繋がっていきました。

ちなみに、模型メーカーでの展示会での名刺交換などで売り込みをして連絡を頂き、打ち合わせをしたメーカーは数件ありましたが、どこも私の話を聞いて情報を吸い上げただけで、仕事に繋がることはありませんでした。

3 仕事依頼の窓口としては　ほとんどがブログ

ジオラマ作家活動としての、「情景師アラーキーのジオラマでショー」という、今思えばなんともこそばゆい名前のブログを、２００１年からやっています。個人活動時代の制作ハウトゥ記事などが出ていて、活動のカタログのようになっているのですが、独立するにあたり、やはり自分の制作依頼や実績などのしっかりとしたホームページは必要だと考えていました。

独立後に徐々にそのあたりを整備していこうと思っていたのですが、ありがたいことに5年経過した今日までほとんど休みがないほど仕事の依頼があって手をつけられておりません。準備不足状態のまま現在に至っておりますが、ずっと依頼のほとんどがブログのメールフォームから来るので、現時点では困っていません。

他の連絡手段として、ツイッター、Facebook、インスタグラムを使っていますが、直接仕事に繋がる依頼メールはFacebookのメッセで2件のみです。インスタグラムは海外からの反応はもっとも多く、フォロワーも海外の方がほとんどですが、個人的な感想などのメールが来るぐらいで仕事の依頼は今のところありません。

4 制作依頼が来た際の　「見積もり」について

「制作依頼メールの返信ではすぐに見積もりは出さない」という考え方は、経験則から重要だと考えています。「まずは見積もりをください」と送られてくる仕事は、依頼内容が詰めきれておらず、金額を聞いてから考えようとしている段階であったり、とりあえず複数のジオラマを制作する作家やメーカーに同内容でバラ撒いて、出した見積もり金額の安さで仕事を決める考え方だったりと、クオリティやコンセプトを重視するより、とにかく安く作れれば誰でもいいと思っていることが多いからです。

そうなると結果として安く叩かれることになりますし、依頼主が想定した金額が、自分が考えていた金額より多い場合もありますから、闇雲に見積もりを出して自分を安売りすると損になってしまいます。

最初のメールから依頼内容が詳細に書かれており、予算が設定されている仕事は気持ち良く成立に至ります。この本で紹介した仕事はそうだったことに加えて、この仕事はぜひ私とやりたいという熱意が書かれていて、お金だけでない価値を感じて仕事を引き受けました。

5 打ち合わせは　口頭でなく必ずメールで

サラリーマン時代から意識していたのが、発言が確実にテキストで残り「言った言わない問題」を回避するための最重要ルール。広告代理店の方やメディアの関係者には電話をしたがる方も多いのですが、簡単でいいのでメールのやりとりをお願いしてます。そして、経験から、最初のメールである程度、その担当者の性格などを読み取ることは可能だと思っています。

特に、納期や予算、依頼の概要など、大切な条件は確実にテキスト化して残るように留意しています。ジオラマ制作中は手が削りカスだらけになっていることも多く電話を取りたくないのも理由の1つです。電話で打ち合わせたほうが早い場合もありそうもしますが、その際にも、あとからメールで内容を書いて頂いたり、自分から議事録のようにテキスト化して行き違いがないことを返信して残しています。

一度だけ、直接会って話した内容をテキスト化で残さなかった際に「そんなことは言っていない」と不利な条件になった苦い経験があり、フリーランスは自分の身は自分で守るしかないことを実感しました。

6 仕事を受託する時には まず「発注書」を頂く

「口約束で仕事が発注されて、納品後に値段を値切られた」というフリーのクリエーターの経験談をＳＮＳなどで目にすることがあります。会社間ならば、契約は経理担当部署で確実に締結されますが、フリーランスの場合はおざなりになってしまう傾向が多々あるようです。しかし、どんな小さな仕事でも「発注書」を発行して頂き、書面で残すように心がけています。

▼発注価格 ▼納期 ▼発注内容 ▼支払い ▼注釈として、他にどちらかが何らかの都合（事故や天変地異など）で仕事を中断した場合の支払い条件なども。発注書のフォーマットは依頼者側に書いて頂きます。2通準備のうえ、お互いに社判（私は印鑑証明を登録してある個人の印鑑）を押し、割印もして契約終了です。

たった1枚の紙切れですが大切な支払い条件が書かれた契約書はフリーランスにとっては重要な書類。法的にも下請法において発注書の書面交付義務が定められています。あと、依頼された時には発注先の会社の情報は、事前に最低でもネットでのリサーチなどで確認しておく必要はあります。

7 制作依頼を プラスαのビジネスに活かす

広告代理店からの制作依頼の場合は、撮影やイベントに使ったあとのジオラマの活用を、最初の打ち合わせの際に確認しておきます。予算が少ない場合は「制作料」だけを頂く条件で、制作物は使用後に返却してもらい再加工して個展の展示に出したり、他の仕事で部品を転用したりできます（P67のＮＨＫのジオラマは返却後さらに作り込んで展示会で披露しています）。

予算が潤沢な場合は基本、制作後のジオラマは「買い取り」です。しかし、それらのジオラマやミニチュアは撮影後には倉庫入りとなって数年後には処分されることも多々。そこで、それらを「プレゼントキャンペーン」などに使って頂くように提案しています。その際のアイデアを、当初の制作料とは別の仕事として発展させる売り込み手法で、多くの事例を残しました（P35のフォルクスワーゲンUPなど）。

販促キャンペーンの営業予算は、制作予算とは別であることが多い点に注目したのです。依頼で得るお金を少しでも多く収入に繋げて、さらに依頼者にも顧客にも喜んで頂ける提案に意義を感じています。

8 フリーランスとして 大事な税金のこと

２０１５年にサラリーマンから独立開業した際、10月まで会社員で、年内残り2ヶ月がフリーランス活動に。税金については勉強不足のままスタートしてしまったこともあり、翌年3月の確定申告の際には、友人から紹介された税理士さんに確定申告すべてをやって頂きました。そして、２０１６年は「今こそは自分で申告するぞ！」と意気込んでおりましたが、多忙だったこともあり、結局、同じ税理士さんに丸投げに……。以降、毎年お願いしています。

私が行うのは、ジオラマ制作の材料費、資料本などの書籍代、打ち合わせなどの交際費、自宅で仕事をしているので光熱費、医療費、携帯電話などの通信費、等の「領収書」を月ごとにクリアファイルに分類して、税理士さんに送るだけでＯＫ。とにかく領収書は大切！

国民健康保険、所得税、地方税など、会社員時代には経理でやってくれたことをすべて自分で行わねばならないことに不安を感じる方も多いかと思いますが、会計士に任せるとか、最近では使いやすい会計ソフトが充実しているので、そういう方向も。

9 依頼時の制作費がなぜかいつも5万円！

依頼メールで見積もりを求められた際、「お考えの予算をお聞かせください」と返答すると、「ジオラマに不勉強で相場がわからないのですが……」との前置きで提示された金額が、なぜだか「5万円」と言われることが本当に多いのです。

個人からの依頼ならまだしも、大手広告代理店からの依頼なのに示し合わせたように5万円！　立体物であるジオラマはイラストや写真では見えない側面や裏面、場合によっては内部まで作らねばならない手間を考えると、「立体＝6面」なので、イラストの6倍の労力がかかると説明すると納得してもらえるのですが……。

あまりにも多い「5万円提示」に、まだまだジオラマ制作の手間や、クリエーターのクオリティの相場が評価されていないと感じます。しかしそういう依頼にでも、怒りをぶつけて断りの返答することはしません。手間や相場をていねいに説明して、5万円から数百万の仕事になった事例があり、依頼者が本当に不勉強だっただけもしれないと考えると、瞬間的に激昂して仕事のチャンスを失うのは避けるべきです。

10 仕事を失注しないためには分業化

1人で活動するフリーランスの仕事では、依頼された仕事の納期が重なることは多々あり、同時にこなせずに残念ながら断らなければという結果にも……。頼ってくれた人にはなんとか応えたいし、その仕事をやってさえいれば次の仕事に繋がったであろうチャンスを逃すことは避けたい。そこで、私なりの解決方法は「分業化」です。

時間をお金で買う方法。私は独立して自宅で仕事をしていますが、ジオラマ制作のための大掛かりな機械は持っていません。木工加工機も家が汚れるので置きたくない。などから、スマートな制作方法を模索して出た解決方法は「プロに発注」でした。

時間がかかる材料のカットは、レーザー加工の専門店や木工加工ができる業者にネットで発注。必要になる3D部品の制作は、フリーの3Dモデラーに頼んでいます。プリントは出力サービスショップのサイトへ。

そして、どうしても自分で作れないほど仕事が重なる場合は、ジオラマ制作自体を別の作家にお願いします。依頼者に対して、私がプロデュースしてしっかりジオラマのクオリティが保証されることを説明して了承頂ける場合は、その方法を選択します。もちろん依頼者は、情景師アラーキーへ頼んでくれているのであり、先方がそこもウリにしたい場合はこの方法は取りません。

サラリーマン時代に身につけた交渉術によって、私が窓口となって来た仕事が、他の作家の仕事に繋がって、フリーランスの仕事全体を活性化させるのも、私の役目だと考えています。

■ 仕事依頼の連絡先

ブログのメールフォームか、ツイッターのダイレクトメッセージでお願いします

［ ツイッター ］
『情景師アラーキー／荒木さとし』

［ ブログ ］
『情景師アラーキーのジオラマでショー』

#01

TV commercials

トヨタファイナンス

「TSキュービックカード」TVCM

[1/150 scale]

実際のTVCM映像から

制作年	2017年
制作日数	35日
カテゴリー	クレジットカードのTVCM
制作形式	市販の鉄道模型の建物を改造し10シーンを制作
問い合わせ・発注方法	ブログのメールフォーム
発注者	株式会社 太陽企画

主人公の人生が10シーンのカードサイズで展開される

２０１７年８月、ＴＶＣＭの仕事のオファーメールが届きました。主人公の人生が、クレジットカードサイズのジオラマ10シーンで表現されるという内容。絵コンテを見た瞬間、すでに完成したジオラマの姿が浮かびました！　実はプライベートで名刺サイズジオラマをいくつも作った実績があったので、小さなサイズでも緻密でストーリーがあるジオラマを作れる確信がありました。作っていたのは１／１４４でしたので、近似値の１／１５０であるＮゲージの鉄道模型建物やミニカー、フィギュアを使えば効率よく制作が可能です。しかも制作期間は１ヶ月以上もあるというこれまた優良条件！　この仕事はスムーズに進む予感がします。

次に面談での打ち合わせです。仕事場にしている自宅は今まで制作したジオラマやおもちゃに囲まれた場所なので、依頼主のテンションを上げるのにも一役買う最適な場所。談笑しながら話が進むと、トヨタファイナンスさまのクレジットカードＣＭであることが告げられました。大手の会社のＣＭ、やりがいのありそうな仕事です。

具体的な条件を確認していくと１つ気になることが。トヨタのグループ会社のＣＭならば、ジオラマに登場するクルマはトヨタ系の車種で構成しなければならないのでは？　後日、市販されている鉄道模型用のトヨタ車を調べて、絵コンテのシーンにどれが使えそうかを当てはめた資料を作りメールすると、新たな要求の返答が届きました。

「登場する車種はトヨタ系販売＆レンタカー会社などでの取り扱い車種に偏りがあってはいけないので、シーンごとにバランスよく配分してほしい」とのこと。最初の好条件とは違い次第に難しそうな匂いが漂ってきました……。

配分リストを頂くと、１シーン１台＝10種類ではなく、なんと12種類。その中で使えそうな鉄道模型用の車種はたったの３種類しかないことが判明。つまり９種類はオリジナルで作った３Ｄデータによる制作がマストで、自分ではできない大きなハードル。そこで、車のデータ制作を得意とするフリーランスの３Ｄモデラーの友人・秋葉征人さんに条件を提示して打診しました。

ぜひやりたいとお返事を頂き、私への依頼とは別に秋葉さんへ別注する条件と、その車を使ってならば10シーンの表現が可能という条件を整えて、最終受注契約を書面で結びました。

鉄道模型用の建物などをアレンジして作業を簡略化できるシーンはあと回しにして、完全にオリジナルで建物を制作する、手がかかりそうなシーンを優先し、スケジュール配分を考慮して進めました。

そして、新しい仕事では何か１つ新しいチャレンジを加味したいと思っており、この仕事では、オリジナルの「フォトエッチングパーツ」を作ることに。設計した図面を、そのスキルに長けている知人に依頼して制作。アウトドアテーブルや椅子、細かい細工の門などにより、極小スケールのジオラマに緻密感を表現できました。

また、制作中に、販促的展開として、ＣＭに使用したジオラマに専用の透明アクリルケースを付けたプレゼント企画を提案。大歓迎で採用して頂き、そのプレゼント用のジオラマ改造も新規で受注して、１つの仕事での成果アップを成功させました。

親の結婚から子供の結婚まで人生を追うCMのシーン

ある家族の物語を精巧な極小ジオラマで描く動画（30秒）
「a car(d) life story」のテーマは“クルマのある人生を支えている”

5

1

6

2

7

3

8

4

1 オープニング。両親の結婚（このフィギュアも制作）。
2 マンションから出てきた夫婦。妻のお腹は大きく、タクシーを呼んでこれから病院に。夫はオロオロしています。
3 子供は無事に産まれて両親の実家に初孫を見せに。祖父と祖母は待ちきれずに玄関先でソワソワしています。
4 初めての幼稚園。緊張のあまりバスからなかなか降りられずに駄々をこねる子供と、困り果てるお母さん。
5 すくすくと育った子供も思春期を迎えて反抗期に。雨で駅に迎えに来た親の気遣いを煩わしく感じてしまう日々。
6 そんな少年も時を経て立派な青年になり、実家を出て独立した人生を歩み始める引っ越しの日。
7 最愛のパートナーとの結婚式は、両親や友人たちに囲まれて。新たな人生の門出を迎えました。
8 カードサイズのジオラマがくるりと反転すると裏にクレジットカードが現れ、「クルマのある人生を支えている。TS CUBIC CARD」。

※すべてのシーンではなく代表的なシーンをピックアップしています

CMで使われたジオラマを日光下で撮影した写真

Scene 1
ふたりでスタートした
新婚ぐらしのマンションは
いまも甘酸っぱい思い出
コーポ大取井

Scene 3
古いから嬉しい
変わらないから嬉しい
正月に帰る実家のやすらぎ

CMで使われた10シーンのカードサイズジオラマ

Scene 1

誕生（1988年）

若い夫婦の住むマンション。産気づいた奥さんを、オロオロしながら心配する夫、という光景。

タクシーは「クラウン」。市販されている鉄道模型用のミニカーを改造。マンションは、いかにも1980年代というデザインをプラ板で自作。精度の高い仕上げにするために、窓枠と手すりはステンレス製のエッチングパーツを特注制作しています。ガードレールは市販のNゲージの物。アスファルトの道路は布ヤスリ（400番）を貼り付けた物。マンション名は「コーポ大取井」（CMキャラクターである芸人・オードリーから）。

Scene 2

実家に帰省（1988年）

生まれた初孫（主人公）を実家の両親に見せるために帰省する。

実家にある車は「スプリンターカリブ」。3Dプリントによる制作。実家の日本家屋は、市販の鉄道模型メーカー「KATO」の物を改造。アクセントになっている物干し竿と犬小屋は、鉄道模型用紙製キット（「さんけい」製）を使用。正月休みに帰省した設定で、大理石を粉状にしたジオラマ用の雪の素材（「モーリン」製の「スノーパウダー」）でうっすらと雪景色に。写真では小さすぎて見えませんが、門松としめ飾りも自作しています。

※掲載の写真はほぼ原寸大サイズです

Scene 3

初めての幼稚園
(1991年)

3歳。初めて登園した日。
緊張で駄々をこねて
バスからなかなか降りない。

幼稚園バスは「コースター」。3Dプリントによる制作。幼稚園は、鉄道模型メーカー「KATO」の橋上駅を改造。緻密感を出すために、飾り付きの門はオリジナルでデザインしてステンレス板エッチングパーツを特注。入園式の季節を感じさせる桜の木は、「KATO」製の物を枝ぶりを加工して使用。鉄道模型用の極小の子供フィギュアでは、幼稚園のバッグと帽子を作るのに苦労しました。バスに書かれた幼稚園名は、これも芸人・オードリーのパロディで「おおどりいようちえん」。これらのネーミングは、要求されたわけではなく、私のアイデアを採用してもらったものです。

Scene 4

夏休み（1999年）

11歳。
両親、友人夫婦と
夏休みのキャンプを
楽しんでいるシーン。

登場車はレンタカーの想定での「エスティマ」。こちらも3Dプリントで制作。一目でキャンプの様子とわかってもらうためのテントは、自作のペーパークラフトです。1/150のキャンプ用品は市販品がないので、展開図を描いてステンレス板のエッチングパーツを特注した物。テントサイトの木立は、拾ってきた小枝にジオラマ用植物素材「ミニネイチャー」の葉を接着して制作しました。

Scene 5

反抗期（2001年）

13歳。反抗期。
雨降りに父親が駅まで
車で迎えに行くも、
「いつまでも子供扱いするな！」と
歩き出して……。

登場車は「カローラフィールダー」。3Dプリントで制作。駅舎は、都市部にありそうな跨線橋《きょうせんきょう》駅として「KATO」製の完成済みミニチュアをカットして使用。駅前の演出としての電話ボックスは、「さんけい」製の紙製のキットを使っています。地面のタイルは、プラ板1㎜厚をPカッターでケガいて制作。道路は布ヤスリ製。傘はペーパークラフトから自作しました。駅名は「大取井駅」（オードリー）。

Scene 6

大学受験（2007年）

18歳。大学受験の日。
父親が試験会場の大学まで
車で送るシーン。

登場車は「RAV4」（3代目）。お父さんのアウトドア趣味は続いているようです。大学入試、センター試験の日はお約束の雪模様。歴史ある大学の門や作は、ステンレス製のエッチング加工の特注部品。レンガの門柱は、プラ板をPカッターでケガいて制作。雪はシーン2と同じ大理石の粉の雪素材。接着剤には、素材と同じ「モーリン」製を使うことで細かい粒が落ちることなく完全に接着されます。フィギュアは、「KATO」製の学生セットを使用。

Scene 7

自立して引越し
(2010年)

**22歳。
大学を卒業して就職を機に
独立して引越しをする日。**

登場車は3代目「プリウス」。子供も成長し家族で出かける機会も少なくなるとコンパクトな車に。3Dプリントによる制作。引越しトラックは鉄道模型用のトヨタ車のトラックをパネルバンタイプに改造。トラックの横にはオードリーの2人。このスケールで「似せてほしい」という要望に応えて自作しました。自宅は、トヨタグループのトヨタホームズの家をプラ板から制作しました。

Scene 8

ドライブデート
(2014年)

**26歳。
夜景がキレイな高台で
彼女とデート。**

登場車は人生初の車！「86」。こちらも3Dプリントによる制作。高台の擁壁《ようへき》は、鉄道模型用のパターン入りプラ板を用い、柵やベンチも鉄道模型用の紙素材を使って再現。夜景シーンを撮影するために、チップLEDで発光する街灯を自作し、高台の内部に電池ボックスを仕込んでいます。

Scene 9

結婚式（2017年）

29歳。
デートしていた彼女との結婚式！

登場車は「アルファード」。結婚式から披露宴に向かうホテルの送迎車という設定で、車は「トミーテック」の市販ミニカー「ザ・カーコレクションシリーズ」のもの。教会も、同社製の建物を改造した物です。古い教会にあるような鉄製の門と柵は、ほかのシーンでも使っている、特注したステンレス製のエッチングパーツ。パーティー参加者設定のフィギュアも「トミーテック」製で、できる限り市販品を組み合わせて制作の手間を省力化しています。

Scene 10

孫を見せに実家へ（2018年）

30歳。
ハネムーンベイビー誕生で実家に帰省。

両親の車は「アクア」で、息子の車は「C-HR」。かつてアウトドア趣味のあった両親の血なのか、子供が生まれるのを機に四駆車に乗り換えたという設定。ともに3Dプリントでの制作。実家は引越しシーンで出てきたトヨタホームですが、８年経過したことをわかりやすく大げさにとの要望で、汚し塗装をキツめにして、庭木も育っています。同じ建物を２個作らなければならなかったので、描画ソフト「Illustrator」で設計して、プラ板0.5㎜厚からカッティングプロッタを使い部品を切り出した材料で、同時に２棟制作しています。かつて主人公が生まれた時に両親が実家に帰省したシーン２に重なる、人生のバトンタッチを再現したラストシーンです。

1/150のキャンプ用品。スタンド付きバーナー、折りたたみ椅子、クーラー。描画ソフト「Illustrator」で大きいサイズの展開図を作画し、試作をくり返して制作しました。

今回の仕事でチャレンジしてみたかったのが、特注エッチングパーツの制作。1/150という小さなスケールでの動画撮影に耐えられる緻密化として必須のアイテムでした。

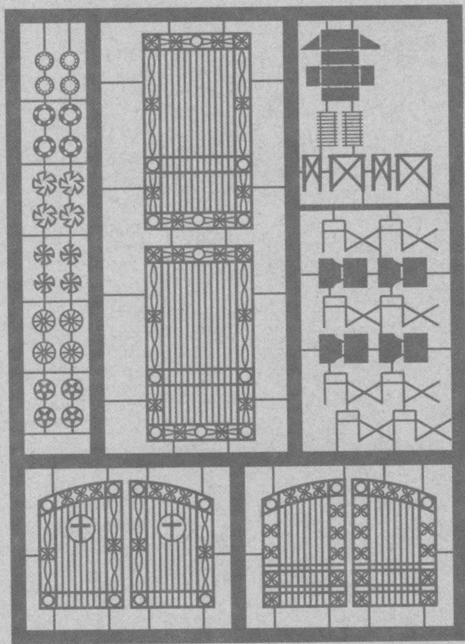

制作に使ったエッチングパーツの作図原稿

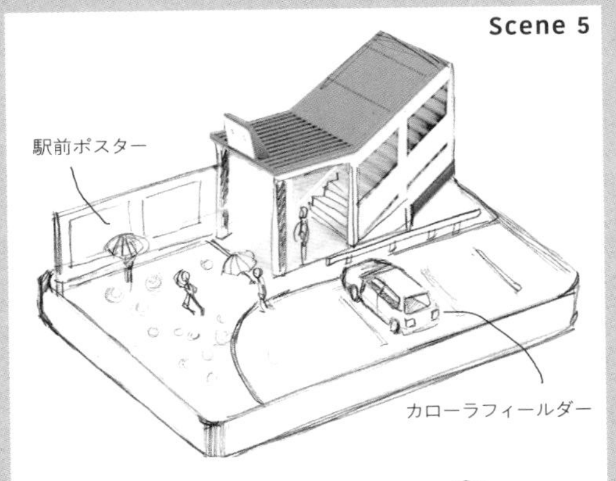

頂いた動画絵コンテをもとに各シーンごとに簡単なスケッチを作画し、企業&制作サイドとイメージを共有、確認しながら作業を進めます。ある程度形が見えた時点でスケッチと比較できる写真を送り、要望が戻ってきたらそれを盛り込みます。マメな連絡が依頼者に安心感を与える点はいいところですが、要望がどんどん膨らむケースもあるので、打ち合わせ時にはそのあたりの見極めが大切です！

制作に使ったテントの展開図（1/150）

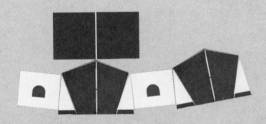

ジオラマに登場したオリジナルで制作した車

86 / Scene 8

カローラフィールダー / Scene 5

スプリンターカリブ / Scene 2

C-HR / Scene 10

RAV4（3代目）/ Scene 6

コースター / Scene 3

アクア / Scene 10

プリウス（3代目）/ Scene 7

エスティマ / Scene 4

今回のプロジェクトで制作した市販品以外の車。CMキャッチコピーの「クルマのある人生を支えている」のとおり、各シーンに登場する車は重要です。主人公が生まれ育つ年代にマッチした車種選びは、やはりトヨタ車でなくてはなりません。しかもトヨタの販売店別（リースも含む）に偏りがないように車種選びから始まりました。1/150の極小ミニカーは、データ制作から塗装仕上げまでを、友人である3Dデザイナーの秋葉征人さん（スタジオプラスアルファ）に特注。こんなに小さいのに、しっかりしたプロポーションで完璧な仕上がりでした。右の写真が3Dプリンターから出力されたパーツ。これを磨いてここまで仕上げるのは、いくら細かいことが得意な私でもできません。やはり餅は餅屋で、その筋のプロフェッショナルに協力をお願いするのもフリーランスの仕事スタイルとしては大事なことです。

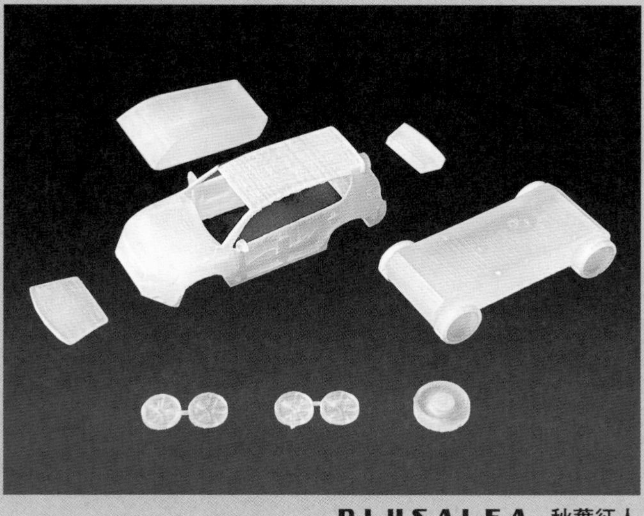

PLUSALFA　秋葉征人
https://plusalfaromeo.amebaownd.com/

CMで使われたジオラマを日光下で撮影した写真

Scene 4
人生はいつも
車と一緒だった……

Scene 4

Scene 3
おおどりい

#02

PR poster

JR東日本 GALA湯沢

スキー場PRポスター

[1/150 scale]

2017年の冬シーズンに採用されたポスター

制作年	2017年
制作日数	30日
カテゴリー	観光ポスター
制作形式	スポンサーのサロモン社製スキーブーツを使用しポスター撮影用ジオラマ制作
問い合わせ・発注方法	ブログのメールフォーム
発注者	株式会社ジャパンライフデザインシステムズ

ゲレンデに見立てたスキーブーツのアイデアは「台」作りの作風から

２０１７年６月、「ＧＡＬＡ湯沢の来年の新規ポスターでジオラマを考えているので相談したい」とメールが。20代のスキーブームの頃に何度か訪れた思い出のスキー場のポスターに！　これから提案するコンペのようです。広告用ジオラマ依頼の70%はこれからコンペという段階で、勝ったあとに正式な依頼となります。正式な受注前なので前のめりになり過ぎず、かつ、勝てるように対応を考えなければなりません。打診のメールには、目指したい姿として海外のジオラマ施設の写真を使ったイメージ画像が添付されていました。

条件が整えば制作料を聞かれるのが筋。しかし、Ｐ６～８で述べているように、私からは見積もりは出しません。提示された予算は、けっして高いわけではありませんでしたが、ジオラマの使用用途がポスター撮影だけに限定すれば、その金額での受注が可能であることを返答しました。

ジオラマ制作は、撮影で数回使用するだけのものなのか？　博物館のように長期にわたり展示するものか？　耐久性などを考慮した材料選びや軽量化や流用できる市販品があるか？　それとも完全自作なのか？　条件によって制作工程も大きく影響して予算とスケジュールに影響してきます。

コンペ用資料として、今まで広告用に作ってきたジオラマ作品の参考写真をいくつか提示しましたが、それだけでは勝てる資料とは言えません。そして、普通のＧＡＬＡ湯沢のリアルなジオラマを作ってもたんなる空撮に見えるだけで面白みと新しさがないのでは？　と問いかけ、ミニチュアとリアルな実景が合成されたかのようなインパクトのある撮影が可能な提案をしました。より具体的なイメージスケッチが必要だと思い、たとえコンペに負けてもイラスト料は頂く条件でイメージスケッチを描き、それが決め手となってコンペで勝利！

ジオラマのキーになるのは、ゲレンデに見立てたスキーブーツ。このアイデアは、題材に合ったジオラマの台を探してくるという私の作風を応用しようと考えたことから。打ち合わせの際、ＧＡＬＡ湯沢のウリの中に「温泉」というキーワードがあり、ヒノキの温泉桶をベースにしようというアイデアもありました。しかし、ＧＡＬＡ湯沢のレンタルサービスは、国内でもトップシェアであるスキー用品を扱うサロモン社で展開するサロモンステーションが運営していることが目に留まり、スキーブーツをゲレンデにして中央に置くアイデアが浮かびました。

２０１７年最新モデルのブーツを提供して頂き（けっこうお高いんです）、それを囲うようにジオラマを構築していきました。制作時は真夏の８月。この年の夏は猛暑で、雪が積もる作品から清涼感をもらえました。

完成したジオラマを撮影したのは９月でしたが、青空の下で見た雪のジオラマはしっかりとスキーシーズン中に見えるから不思議なものです。

撮影はうまく進んだのですが、私が持っているカメラでは駅に貼られるＡ０サイズのポスターには解像度が足りず、急遽、広告制作会社が手配したプロのカメラマンにスタジオで撮影してもらうことに。

ジオラマはその後、ＧＡＬＡ湯沢「カワバンガ」スキーセンターに展示され、また、冬のシーズンは駅などにポスターが貼られ、スキー場ＰＲのお手伝いができました。

#02 JR東日本 GALA湯沢

■完成サイズ　［W］700㎜［D］700㎜［H］650㎜
■再現スケール　1/150
■完成日　2017年9月15日

※ゴンドラに修正があり、取り外した時に撮影したものです

直径70㎝の円にGALA湯沢の魅力を凝縮したジオラマ

ジオラマを自宅のベランダ＝日光下で撮影した写真

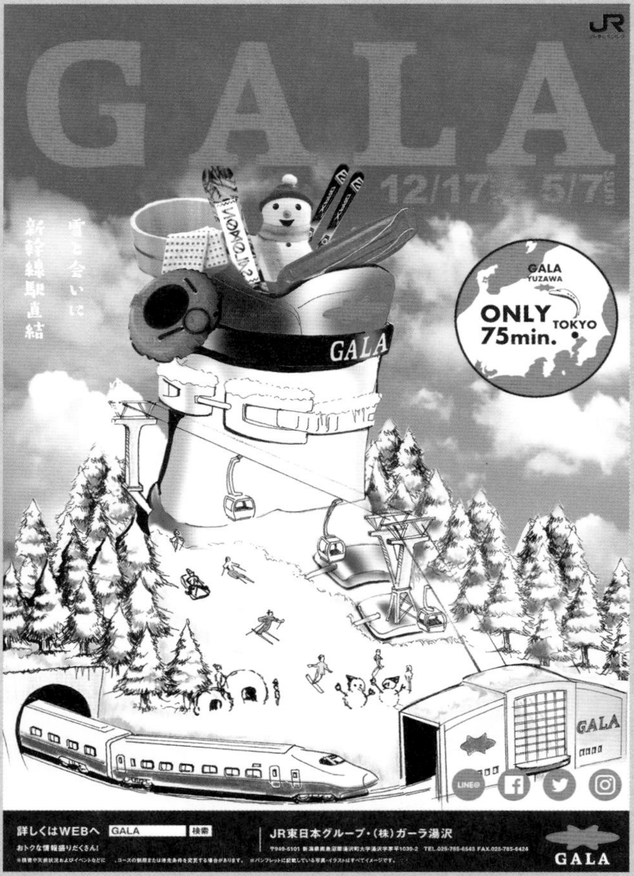

提案したアイデアスケッチ

スキーブーツをゲレンデに見立てて、GALA湯沢の駅舎、ロープウェイ、温泉、ソリ遊びなどを散りばめています。発想のもとは、中にお菓子が詰まったサンタブーツ。ブーツの頂上は、できたばかりだった展望台を再現するリクエストがあり、変更しています。

ジオラマ制作用に実際に起こした図面。文字「GALA」のグラフィックは、建物を塗装仕上げしたあとに、特注したインスタントレタリング(発注先:エイドクラフト)で仕上げています。

1 円形レールの外周に合わせてベースをカッターで切って、新幹線の線路設置面との段差を付けてゲレンデ面を積み上げ、ゲレンデ面よりさらにスタイロフォームを盛り上げて滑走面を制作。石膏系の仕上げ材「モデリングペースト」を塗布して表面をコーティングします。

2 サロモン社の新製品のスキーブーツを1足提供して頂き、その周囲に鉄道模型の線路を設置して制作する大きさを割り出しました。ベースに使用したのは住宅建材のスチレンボード50㎜厚。今後も何かと使いそうな素材なので、通販サイトで取り寄せました。

3 線路とトンネル部も同様に塗布して、表面を紙ヤスリで整えてコンクリート面を制作。大理石を粉にした「モーリン」製のジオラマ用雪素材を全体に撒き、水で希釈した同社製の接着剤を霧吹きスプレーして雪を固定。

4 雪の表現は、大理石を粉にした「モーリン」製のジオラマ用素材を使います。接着方法は、どんなに細かい材料でも確実に接着可能な同社製の「スーパーフィックス」を水で希釈し、100円ショップで購入したスプレーに混ぜ込んで吹付け。鉄道模型用のブラシ状の針葉樹林（海外製）にもスプレーして雪が積もった状態を再現。

5 市販のスキーヤーや釣り人のフィギュア（1/150）を改造して、GALA湯沢の来場者がスキーやスノーボード、ソリなどを楽しんでいる様子を再現。

2

1

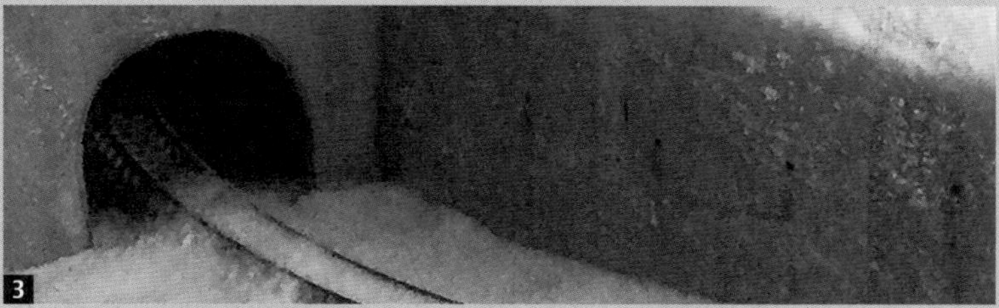
3

5

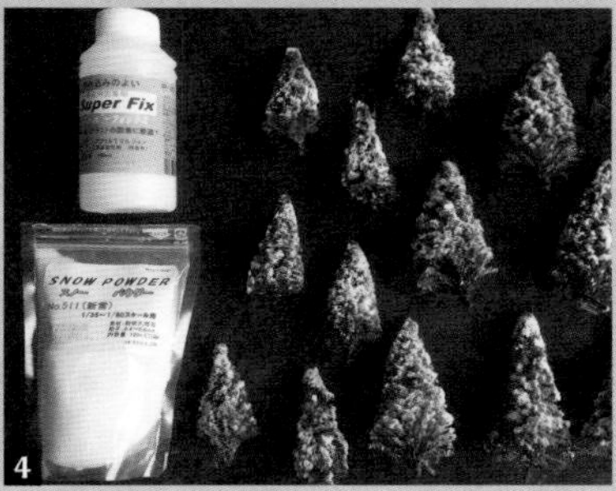

4

GALA湯沢駅は、提供して頂いた図面データをもとに上記のイメージスケッチに収まるよう、幅を短くデフォルメしたデザインにアレンジ。まず、描画ソフト「Illustrator」で作図したデータを、プラ板1㎜厚に、家庭用の小型カッティングプロッターでケガいて部品を制作。建物中央のガラス張りの内部は、実際の駅の写真を、透明アクリルの裏から貼り付けました。内部を作り込まなくてもリアルな表現が可能です。

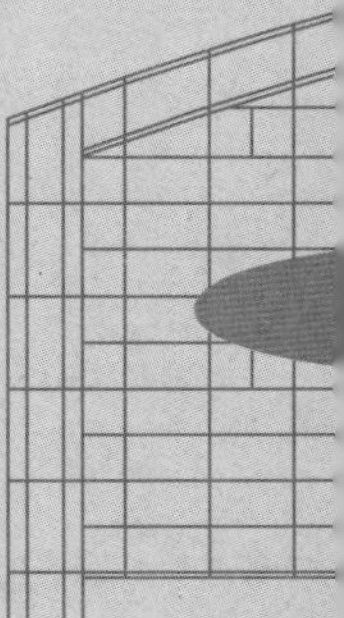

GALA湯沢には実際に、様々な新幹線車両をデザインしたゴンドラがあります。提供して頂いた写真資料をもとに描画ソフト「Illustrator」で展開図を描き、ペーパークラフトを作画し光沢紙にプリントして制作しました。

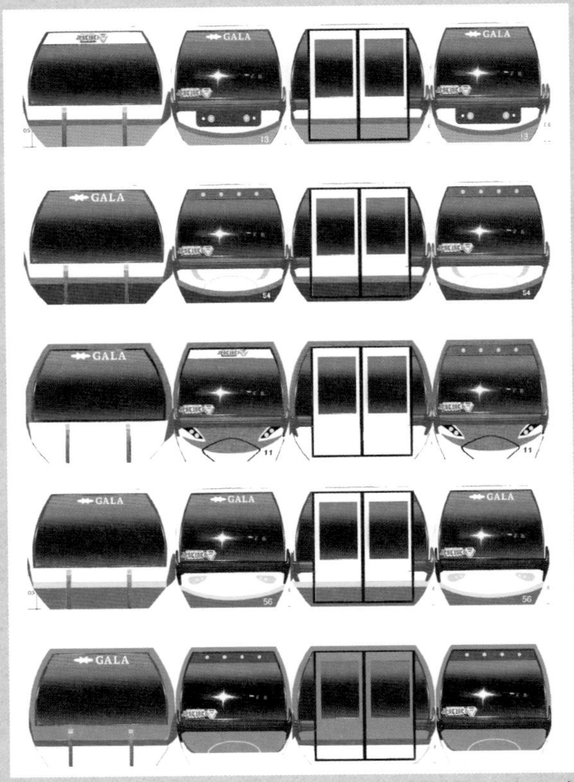

制作原寸大 (1/150)

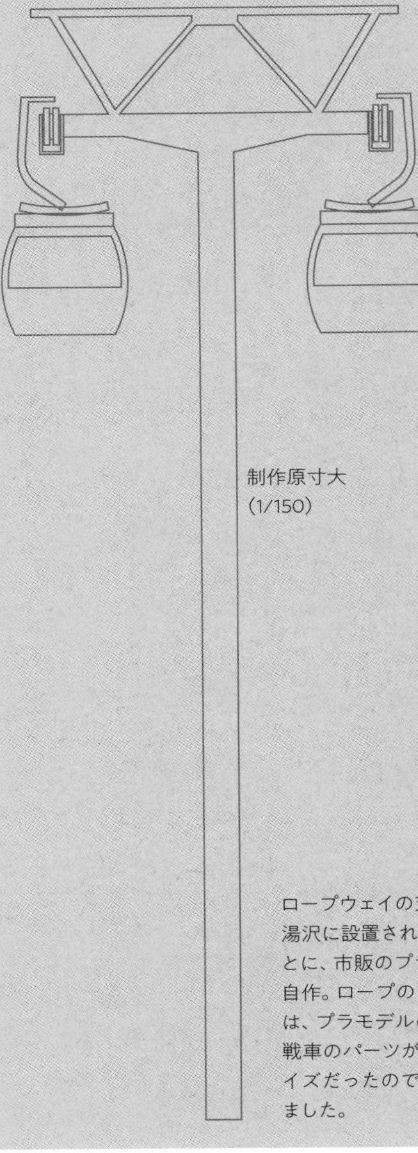

制作原寸大
(1/150)

ロープウェイの支柱は、GALA湯沢に設置されている写真をもとに、市販のプラ棒やプラ板で自作。ロープのガイドローラーは、プラモデルの旧日本陸軍の戦車のパーツがちょうどいいサイズだったので、そのまま使えました。

#03

SNS advertising

サントリー

「ザ・プレミアム・モルツ」SNS広告

[1/150 scale] [1/80 scale]

2018年のWeb限定CMに使われた写真

制作年	2016年
制作日数	1期目−30日、2期目−15日
カテゴリー	SNS用広告
制作形式	ジオラマプロデューサーとして制作
問い合わせ・発注方法	ブログのメールフォーム
発注者	サントリービール株式会社

1人の限界を感じていた時期に「ジオラマプロデューサー」となって

２０１６年の7月、ＳＮＳ限定の広告の仕事のオファーがありました。サントリー「ザ・プレミアム・モルツ」２０１６日本の秋（京の紅葉がさね）デザイン缶のFacebook ＆ツイッター限定の広告写真をジオラマで撮影したいという内容でした。

こんな感じでとメールに添付された資料には、「ミニチュアカレンダー」で知られるミニチュア写真家の田中達也さんの作品の数々が！

鉄道模型のフィギュアを使い、現実の物を別の何かに見立てて撮影する田中さんは、同じ２０１５年に会社を退職した「独立同期」！　その頃にトークショーをご一緒したこともあり、私もかなり注目している作家さんです。華やかな色紙の上に配置されたミニチュア小物のシンプルな作風がとにかく洒落ていて、ＣＭなどに使いたくなる気持ちはわかります。

しかし、その写真を題材にして「こんな感じで撮影したい」と例に挙げられたら、真似して制作するわけにはいきません。「その作風をお望みならば田中さんに依頼してください」と返答すると、もっと私の作風でリアルなジオラマ風写真を狙いたいとのお返事が。

その頃、震災復興のジオラマの仕事（Ｐ53〜66）と、他に数件の仕事を抱えており、制作期間が重複しているのでお断りしようと思いました。しかし、独立して1年未満、いろいろな仕事を受けて実績を作りたいと考えていた時期でもあり、頼ってくれた依頼主に「できません」と言いたくない自分がいました。そして、思った以上にジオラマの仕事があると体感して1人の限界を感じていた時期でもありました。

金額、納期、クオリティーの交渉をするサラリーマン時代のスキルを活かし「プロデューサー」として誰かに制作してもらう仕事もやらねばならないと以前から考えていたので、この仕事でそれを実行しようと思いつきました。

この依頼で一番適している作風で作れるジオラマ作家は1人しかいません。長年の模型仲間である優れたジオラマ作家の、すこっつぐれい（これは作家名で日本人です）さん！　依頼主からは、特に情景師アラーキーが制作とアピールする狙いはないから問題はないと返事をもらい、すこっつさんも快諾して受注契約を結びました。

完成予想のスケッチを渡して、毎日メールでやりとりしながらの進行。ジオラマを撮影した写真納品なので、撮りやすい構図がポイント。画角に入る範囲を考慮して広めに作り、すこっつさんのモチベーションを上げるためにも、彼のいつもの作品作りと同様に台座も付いた作品で仕上げてもらいました。完成したジオラマは私の期待以上の完成度で納期通りにＵＰ。

そしてそのあとが本番です！　日光下で撮影してリアルさを演出するのが私の写真撮影の手法なので、適度に雲があり、晴れ過ぎていない日を選ぶのは重要です。数日待って撮影した写真には、要望以外のアングルや夜間撮影した写真なども加えてメール送信。一発ＯＫでとても喜んで頂けました。

「ザ・プレミアム・モルツ」のFacebook公式ページでアップすると世界じゅうに拡散！　それまでの最高ファボ（いいね）が付き、ホッと胸を撫で下ろしました。おかげさまで好評で、２０１８年も同じデザイン缶キャンペーンのお仕事を受注しました。

2

1

3

1 依頼先に提出したアイデアスケッチ。缶に描かれた京都の街に繋がっていくジオラマの構想。

2 スケッチをもとに忠実に再現して制作してもらったジオラマの完成体（制作／すこっつぐれい＠箱庭作師）。

3 完成したジオラマを自宅のベランダで撮影して提出した写真。この写真がFacebookとツイッターにアップされて狙い以上の拡散効果がありました。

※掲載のデザイン缶は限定品のため、現在は発売されていません

2016年の仕事が好評で、2018年の「ザ・プレミアム・モルツ」のＳＮＳキャンペーンも受注し、京都に実在する橋を1/80で制作したジオラマを使いました。この年は２種類の商品があり、「〈香る〉エール」の缶は、2016年と同様に自宅のベランダにて日光下で撮影。夕景のデザイン缶は、事前に撮影しておいた夕日の写真をパソコンの画面に写し出し、その前でジオラマを撮影しました。

※掲載のデザイン缶は限定品のため、現在は発売されていません

#04

TV commercials

フォルクスワーゲン

小型車「up!」TVCM

[1/24 scale]

実際のWebCM映像から

制作年	2017年
制作日数	10日
カテゴリー	自動車TVCM
制作形式	スチレンボードをメインに使い 軽量化と工期短縮を兼ねた制作
問い合わせ・発注方法	ブログのメールフォーム
発注者	株式会社ロイ・ハブス

九十九里海岸が見事にイタリアのリゾートに変貌したトリックCM

それは不思議な仕事の始まりでした。2017年、フォルクスワーゲンの新車、小型車「up!」の広告用のジオラマ制作……ではなく「広告に出演してほしい」というオファーがありました！　この車が小型で緻密であるコンセプトと、私が作っている緻密なジオラマ制作の姿勢がマッチしているということで白羽の矢が立ったとのこと。私がジオラマ作家になるきっかけになったツイッターでの拡散後に、TV出演が増えて自宅で制作している様子が多く放送されたのを見て決めたとのことでした。

　打ち合わせを自宅で行った際に、映像出料とは別にジオラマを使ったトリックCMのようなものも考えていて、可能ならばそちらもぜひ！　と本当はそちらが真の目的では？　という相談がありました。つまり、広告用の動画撮影とジオラマ制作のダブルオファー！　制作期間も十分にあり、出演料とジオラマ制作料がそれぞれ潤沢な予算もある仕事で、迷うことなく受注契約を結びました。

　トリックCMとは、本物だと思っていたらミニチュアだったという（その逆もある）、意外性を売りにした動画の広告です。今回はミニチュアの車かと見ていたら実は本物で、本物かと思っていた周囲の建物が実は模型だったというコンセプト。その時点ではまだ絵コンテはなく、「一緒に考えていきましょう！」という柔軟に対応していく段階でした。絵コンテどおり忠実に再現するのも得意ですが、元はデザイナーの私ですので、自分のアイデアが活かせる仕事も得意中の得意です。

　すでにディレクターが、イタリアのリゾート地という設定をイメージしていたので、私のジオラマ作品の中でローマの街を舞台とした1／35のジオラマを近所のコインパーキングに持ち込み、止めてある実車とジオラマを同時に撮影してトリックCMの可能性を探っていきました。

　撮影のしやすさを考え、スケールはミニチュア特撮セットの基本である1／25と決め、イタリアの街のリゾート地に実在する建物を再現。建物と地面が一体になったジオラマに。素材は、一度きりの撮影用であり、加工しやすさや作り慣れているというポイントから、建築模型でも多く使われるスチレンボードを使いました。

　柔軟な発想の映像ディレクターさんだったこともあり、雑談中にふと、撮影に使ったジオラマの仕事が終わったあとの使い途として、WEB限定のプレゼントキャンペーンを提案してみると、「面白い！」と即OK。撮影後、部屋に飾るための改良を施して専用のアクリルケース付きで仕上げ、3つ目の仕事として受注。ツイッターで宣伝し、そこでフォルクスワーゲンへの自分の思いを綴った人の中から1人選ばれてプレゼントされました。

　すべてが順調だった中で1つ残念だったのは、仕事が重なりロケ撮影に立ち会えなかったこと。完成した動画を見ると想像していた以上の予算の掛け方で、九十九里海岸が見事にイタリアのリゾートに変貌していて驚きました。

　ちなみに出演CMのほうは、上品なプロモーション動画のような映像にまとまっていました。実は、たった半日、自宅だけで撮り終わった動画出演料のほうが、12日間かけて作ったジオラマ制作料よりも高いという、不思議な仕事となりました……。

CMのシーンは建物・人間・車がミニチュアと本物で錯綜する

場所は、イタリアの
アマルフィ海岸のリゾート地。
日差しがさわやかな海沿いの道。
映像はフィルムのコマが少ない
古い映画のような映像。
フォルクスワーゲンup! の横で
誰かと待ち合わせしている様子。

すると突然巨大な手が上から伸びてきて
銅像を持ち上げようとすると、
それは銅像に化けていた人！
次はベンチに座る人を持ち上げて……
あれ、今度はミニチュアだったの？
次は街灯が持ち上げられて
これもミニチュア！
もしかして車もミニチュアでは？

と疑ったところで彼氏が現れ、
フォルクスワーゲンup! に乗る。

そして、運転席から外に出て
カメラに近づいてくると顔が大写しに！
彼が建物のジオラマをひょいと持ち上げて
実はミニチュアでした！
とウィンクしてネタバラシ
というストーリー。

2

1

5

4

3

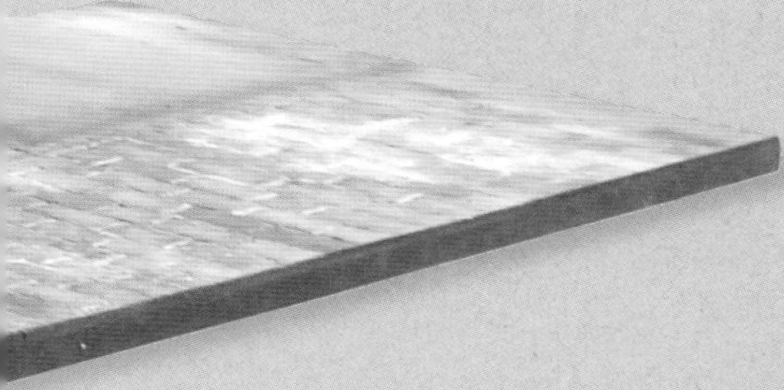

1 私が持っていたイタリアをモチーフにしたジオラマ（1/35）を使い、実際に駐車している車と同時に撮影しつつ、トリック動画の可能性を探りました。この時点では具体的な絵コンテはなく、このようなテスト画像を企画者とメールでやりとりしながら、どういう構図が必要なのかを詰めていきました。

2 テスト撮影を経て、実際に作るジオラマのプランをスケッチしました。当初は、作り慣れた1/35での制作を考えましたが、もう少し大きなスケールのほうが撮影に向いていると判断し、特撮で使われる建物のスタンダードサイズの1/25で作ることに。舞台は「海沿いのリゾート地」という要望で、イタリアの有名リゾート地、アマルフィ海岸という設定で建物を設計しました。

3 一度の撮影に使うだけなので、軽くて制作しやすい、建築模型でも多く使われるスチレンボードを使用。漆喰仕上げの雰囲気を再現するために、モデリングペーストを塗布。屋根瓦は、欧州系の瓦を再現した建築模型用のプラ板を使用。

4 建物の緻密感を演出する重要なポイントである窓部品。イタリアのこの土地に多く使われている風通しのよい鎧戸《よろいど》は、薄い檜《ひのき》の木材とケント紙を使って再現。斜めに突き出た板同士の間隔を目視で合わせながら、1枚1枚慎重に接着しました。

5 塗られたペンキが経年変化で薄くなり、下地の漆喰が見えている様子は、塗布したモデリングペーストの白地を生かして、上から、アクリル塗料を溶剤で薄くした色を塗って再現。建物を「立体のキャンバス」と考えて水彩画を描くイメージです。

■完成サイズ　[W]700㎜ [D]200㎜ [H]470㎜
■再現スケール　1/25　■完成日　2017年8月21日

プレゼントキャンペーンでアクリルケース付きの仕上げを

CM撮影用ジオラマは、撮影後は不要になるので、契約時に買い取りか否かを確認しておきます。制作料が安い場合は返却して頂くことを条件にして、仕事が終わったあとは、自分の作品としてジオラマ作品展に展示したり、他の作品に転用したりすることもあります。この仕事では、初期の打ち合わせの際に「ジオラマを抽選でプレゼントするキャンペーン」を提案してみました。部屋に飾りやすいサイズで額装。その制作料は撮影用のジオラマとは別で、プロデュース料と加工料を頂きました。

#05

TV commercials

森永乳業

「ラクトフェリンヨーグルト」TVCM

[1/50 scale]

実際のTVCM映像から

制作年	2017年	制作日数	9日
カテゴリー	食品TVCM		
制作形式	プラ棒やプラ板による自作制作		
問い合わせ・発注方法	ブログのメールフォーム		
発注者	株式会社太陽企画		

CMには映らない演出は透明のデスクマットに赤ちゃんの写真を入れて

独立して4ヶ月後の2016年2月に、広告映像制作会社の大手、太陽企画さんから、撮影に使うかなり小さなスケールのミニチュアを作る依頼メールがありました。

広告関連のジオラマ制作仕事はやりたかったのでとても嬉しい依頼でしたが、そこに書かれていた納期はかなり短めで、急ぎの仕事のようです。

私は基本的にはまずはメールでしか打ち合わせはしない方針（P7参照）でしたが、時間が勝負になりそうだったので、すぐに電話をかけて詳しい制作内容を聞くことにしました。すると、森永乳業のラクトフェリンヨーグルトのCMに使う、1／50の事務机などのミニチュアとフィギュアの制作という案件でした。

広告のストーリーは、ヨーグルトの研究員が、長い時間をかけた研究の末に開発したことを説明する動画で、実物の試験管や顕微鏡の横で、白衣を着たミニチュアの研究員が小人のように働いている設定です。すでに絵コンテは完成していて、その絵から算出したスケールは1／50という設定まで決まっています。

制作内容と納期から導き出された課題は、CM撮影に耐えられる完成度のフィギュアを仕上げる時間がなさ過ぎることでした。

しかしすぐに、独立した直後に手がけた巨大な建築模型ジオラマの仕事で、実際の人を3Dスキャンし、色が付いた状態のフィギュアをプリントできるサービスを使ったことを思い出し（しかも偶然同じスケールの1／50）、経験事例としてそのサービスの会社を制作会社に紹介したことでフィギュア制作問題は解決。

すると残るは、そのサイズの事務機器の制作だけということになり、受注書面を特急で準備して頂き、制作をスタートしました。

スピード勝負でリテイクを少なくするため、こまめに制作行程をメールしつつ進めたことで、「高度な要求をしてもちゃんと応えてくれるモデラーだ！」と信頼度がアップしたのか、「そのシーンは1980年を想定しているので、パソコンはNECのPC98にしてください」とか、「この会議室の机はコクヨのこのタイプで作ってください」とか、どんどん要求度が上がっていきました。

そのやりとりが一緒に広告を作り上げているような、私が求めていた理想の仕事の進め方だったことで、ここはなんとしても期待以上に応えなければ！　と楽しい気持ちで臨むことができました。

時間がないながら、せっかく私に依頼してくれたわけですから、私ならではの緻密な作り込みをしたい！　と、研究員の机の再現では、パソコンの画面のフチにポストイットのメモを貼って研究に没頭しているリアルさを演出しようと考えました。ポストイットの歴史を調べて想定した年代と相違がないかを確認（ちょうど1980年発売）して時代考証をしっかり押さえながら制作しました。

また、その年代の事務机によくあった、全面に敷かれた透明デスクマットの下に電話帳やスケジュール表が入っている様子を再現した際に、その中に赤ちゃんの写真を入れて、子煩悩な研究員のお子さんという演出をしたのは、CMにも映らなければ依頼主にも知らせていない、私のこだわりポイントです。

研究員が使っていた1980年代の机

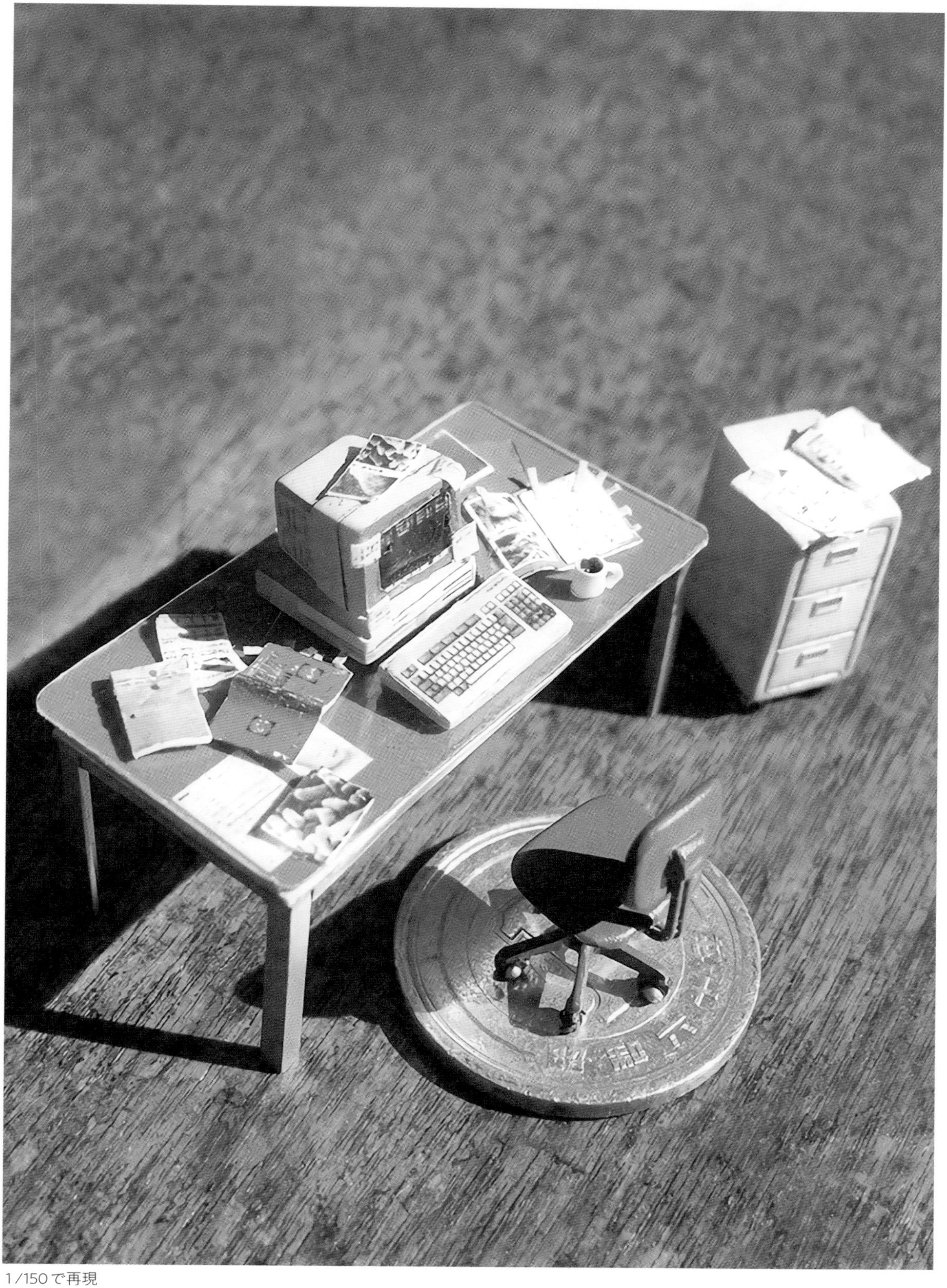

1/150で再現

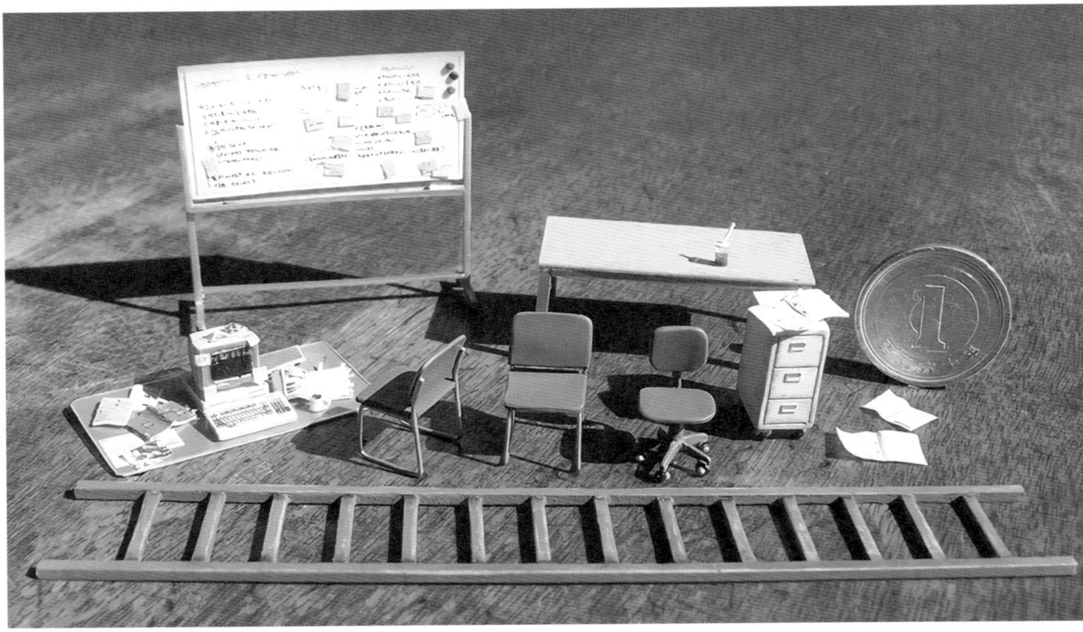

スケールは1/50。会議室や研究員の机のアイテムは流用部品がなく、すべて自作です。実は、会議室のテーブルと研究員の机は同じパーツで、机の上のパソコンなどを差し替えて撮影しています。納期も短く、かつ、極小スケールなのに、「会議中のシーンで机の上に飲みかけのドリンクがほしい」と要望が！ しかし、課題が出ると燃えるタイプなので！ ストローまで再現して要望に応えました。しかし、オンエアされたCMを見ると……せっかく作ったアイスコーヒーはほぼ映っていませんでした（泣）。

研究員が打ち合わせしているホワイトボードは、TV画面ではほとんど判別不能の大きさ。しかしそこは、会議のリアルさを演出したいというこだわりで、太陽企画の方にお願いし、実際に打ち合わせしている感じでホワイトボードに書き込みをしてもらい、それを撮影してミニチュアに貼り込み。その上に、本物のポストイットの写真を縮小コピーしたものを貼っています。

#06

For fan events

メカトロウィーゴ

トイメーカーファンイベント用

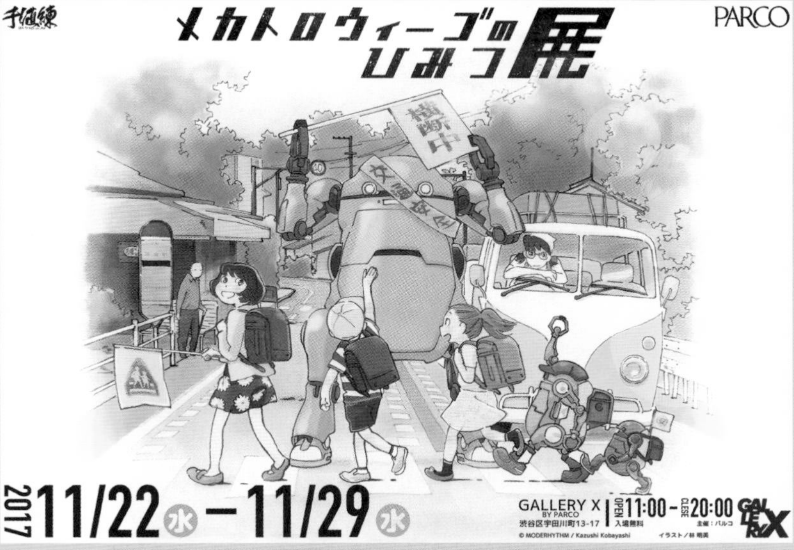

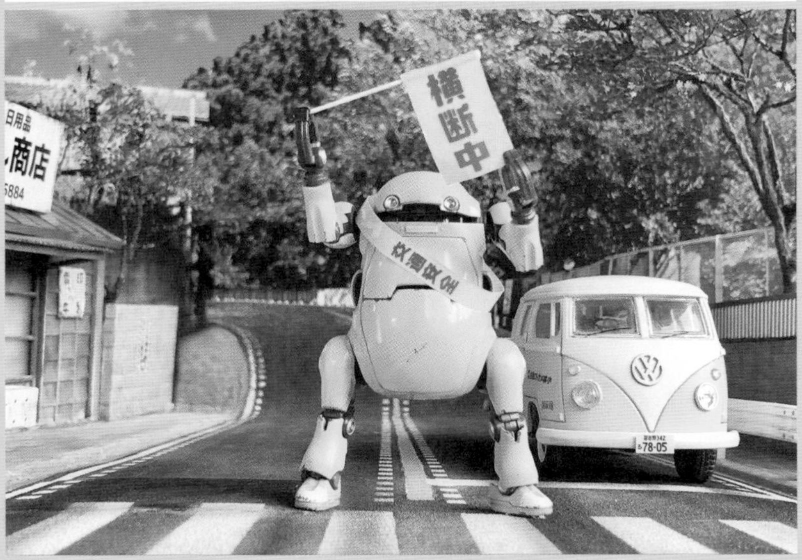

［ 1/35 scale ］

イベント用ポスターとそれを元に制作したジオラマの比較画像
「メカトロウィーゴのひみつ展」 イラスト／林　明美

制作年	2017年	制作日数	14日
カテゴリー	トイメーカーイベント		
制作形式	来場者参加型のジオラマの提案		
問い合わせ・発注方法	イベントでの名刺交換のつながりから		
発注者	千値練（センチネル）		

ジオラマが主役ではなくイベントに広がりを持たせる狙いから

漫画にもアニメにも映画にも登場しないロボットキャラクターが、可動トイやプラモデル、まさかのぬいぐるみなどへと、様々なメーカーから次々と商品展開される……そんな奇跡のようなロボットが「メカトロウィーゴ」という存在。生み出したのはフリーランスで活躍する3Dモデラーの小林和史さんです。

彼を知ったのは、オリジナルのフィギュア等の造形物を販売する世界最大のイベント「ワンダーフェスティバル」。自分でデザインしたメカトロウィーゴの原型を自ら造り、シリコンゴムで型取りし、凝固するプラスチック材料を使って、量産するプラモデルのようなオリジナル商品を販売していた頃です。私もひと目惚れしたそのロボットは懐かしいレトロな魅力に溢れていて、個人販売品があっという間に商品化され、フリーランスの造形作家が「売れていく」様子をうらやましく、かつ自分がフリーになった時に何か参考にならないか？　という視点でも注目していました。

そのメカトロウィーゴの魅力に真っ先に目を付けたのが、トイメーカーの千値練《センチネル》。トミカと同じ合金素材で、手足が自由に可動し、手のひらサイズで美しい塗装が施された完成度の高いフィギュアを発売しました。他の商品展開も独創的で、目が離せないトイメーカーとして注目していたので、ワンダーフェスティバルで小林さんから紹介され名刺交換して繋がっていました。

2017年、渋谷のパルコギャラリーで、千値練主催の「メカトロウィーゴのひみつ展」用の展示ジオラマ制作の依頼がありました。題材は自由でしたが、イベントの主役はメカトロウィーゴと小林さんであり、私はあくまでもファンの1人として「作品を飾ってもらう」ジオラマを作るべきだと考えて、作家の作品としてアクリルケース入りで飾られるような扱いになるのは避けたいと伝えました。

そして、イベントの資料の中にある素敵な広告ポスター（前ページ上の写真）に目が留まりました。「そうだ！　これを立体化したジオラマにして、訪れた人が自由に触ったり、写真を撮ったりできるというのはどうだろう？」その発想は即、快諾でした。

ポスター同様の画角で撮影するには、台座に厚みを持たせ、アオリ気味の撮影を可能にしたい。背景付きで作れて、台座の厚みがあるという条件で、真っ先に思いついた物が、過去の作品でも使ったことがあるカバンでした。イメージは、メカトロウィーゴで使われているレトロテイストの色。検索すると、1970年代に流行した旅行カバンがヤフオクですぐに見つかり、値段も手頃で無事に落札。ここで、このジオラマの完成形が確定しました。

奥行きを演出するパース（強制パース）があり、背景に溶け込んでいくように設計して構想通りの仕上がりに。メカトロウィーゴのファンは、商品を塗装や改造して楽しむ方が多いのが特徴。思い思いの「我が子」を持ち込んで撮影を楽しめる趣向は予想を超える反響で、毎日撮影待ちの列が！

撮影した写真をすぐにプリントして壁に飾って他のお客さんに自慢できるイベントも提案して、イベント自体の盛り上げに貢献できました。ジオラマを撮影した写真は撮影者の「写真作品」（前ページ下の写真参照）。1つのジオラマからいくつもの作品が生まれる連鎖を提案できた事例です。

#06 メカトロウィーゴ

■完成サイズ　［W］380㎜［D］400㎜［H］550㎜
■再現スケール　1/35
■完成日　2017年11月21日

「メカトロウィーゴのひみつ展」 イラスト／林　明美

Making

ポスターに描かれていた「上り坂がカーブして消失点が消える風景」は、どこかにそんな場所がないかとグーグルマップでいろいろ探してみても見つからず。しかしなんと、自宅から３分の所に理想の風景が！　写真を撮り、少しだけ画像修正を加えてＡ３サイズでカラープリントして、背景画としました。

道路に覆いかぶさるように生える樹木は、針金で制作した木に、紙をレーザーカットしたジオラマ用の葉（「紙創り」製）をゼリー状接着剤で固定して制作。

ジオラマ右サイドの細長い空間は、ポスターでは民家になっていましたが、絵に描かれた横断歩道を渡る子供たちを見て、小学校にするアイデアが浮かびました。校門や柵は市販の柵状のプラパーツを使って制作。校庭の遊具は、1/35の軍用トラックのタイヤを半分にカットして作りました。

ポスターの左側に描かれていた平屋の商店は、小学校の近くにありそうな駄菓子屋と設定し、木材とプラ板を組み合わせて制作。懐かしいホーロー看板は、旅行の際に撮り貯めていた写真を縮小プリントして使用。商店名は、メカトロウィーゴのデザイナーである小林和史さんから（電話番号も注目点！）。

歩道は、スチレンボード２㎜ 厚の（「タミヤ」製）を使い、小型ドリル（ピンバイス）の軸にマチ針の先を装着したケガキ道具を使い、引っ掻くように彫刻。奥に向かってパースをつけているので、歩道タイルのピッチも細くしていく作図が大事なポイント。

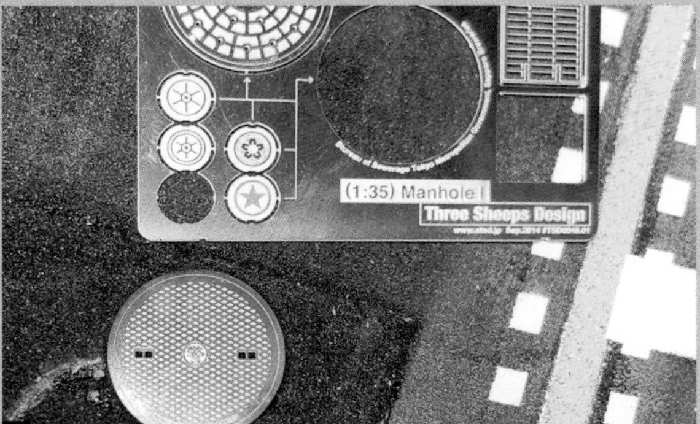

車道は、布ヤスリ（80番）を貼り付けて再現。マンホールは、ステンレス製エッチングパーツ。「Three Sheeps Design 」製の物は非常に緻密で良いアクセントに。横断歩道や車道のラインは、マスキングをていねいに行い、エアブラシ塗装で再現。

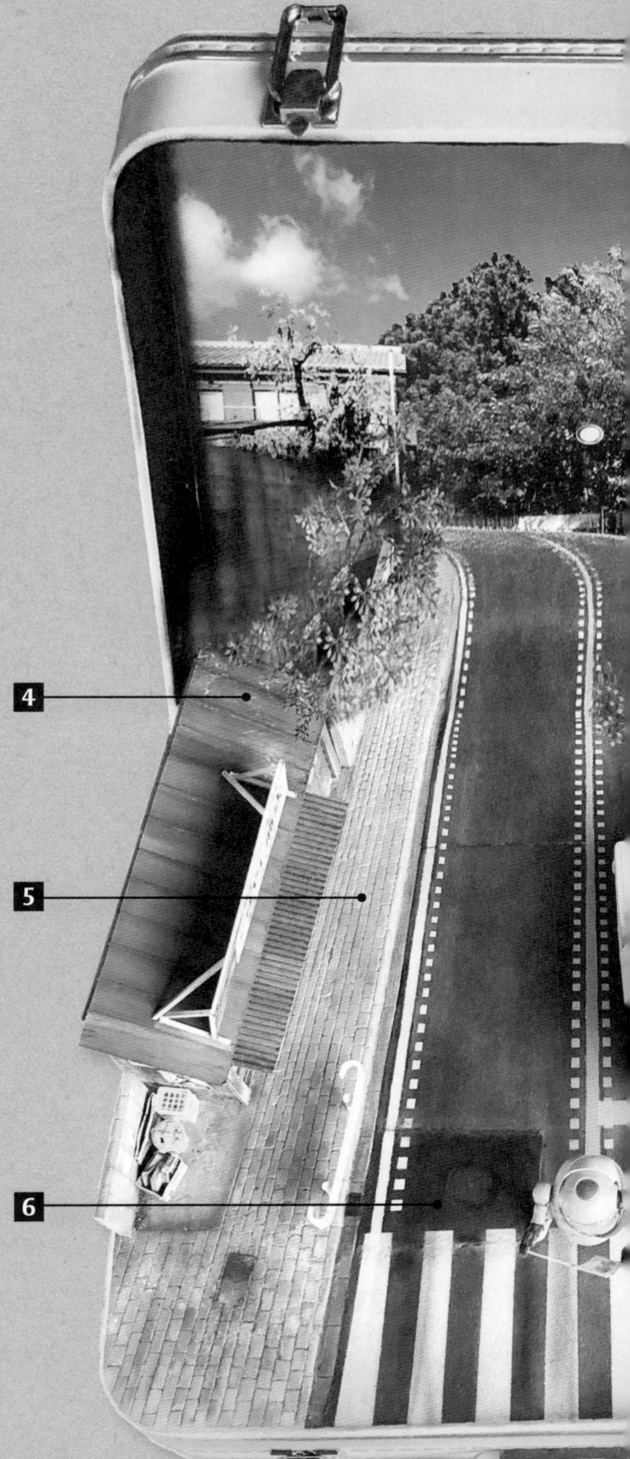

ディティールへのこだわり

駄菓子屋の横にはゴミ捨て場。実際の段ボールを縮小コピーして制作。この場所はゴミを捨てる情景を撮影できるスポットです！

駄菓子には夕陽がよく似合います。自宅ベランダにて撮影。この雰囲気を、会場ではオレンジ色のLEDライトで演出しました。

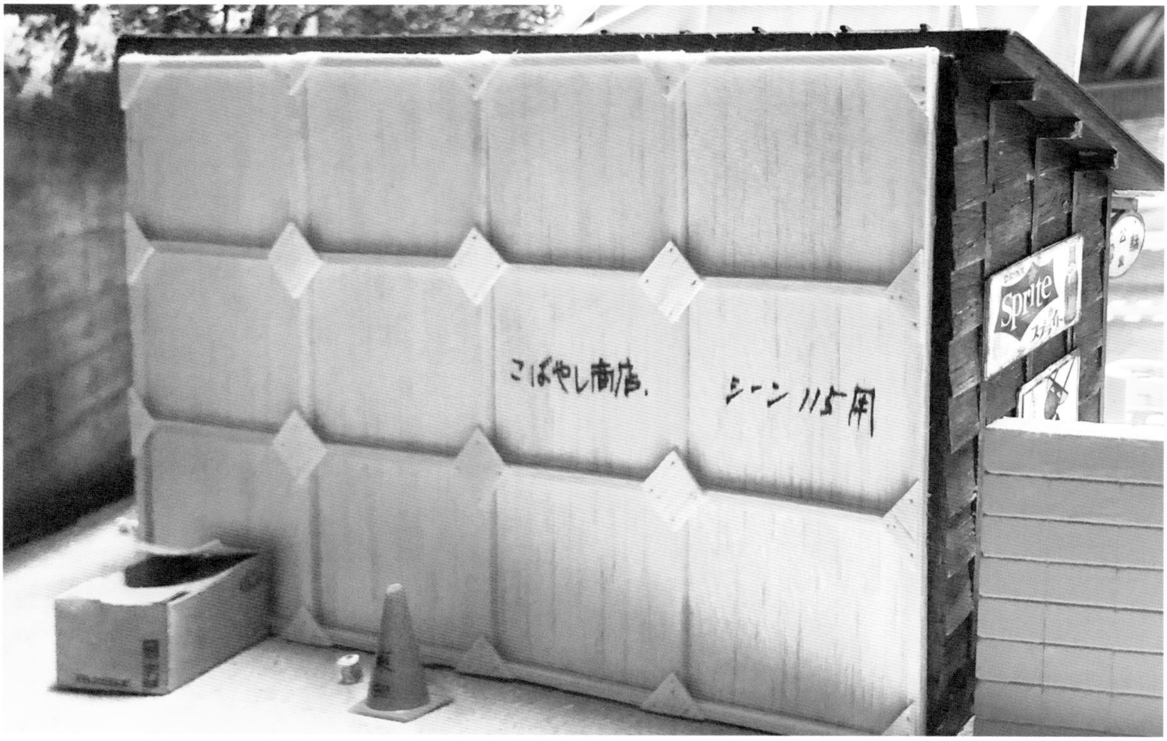

駄菓子屋の裏を見ると……ベニヤ板で作られた壁が現れます。実は、このジオラマは映画撮影用のセットという設定！
ここを背景にすると、撮影準備中のメカトロウィーゴの様子として撮影可能なポイントに！

夕陽はノスタルジーを演出する

これは私が夕陽の下で撮影した写真です。イベント会場では、まるで映画監督になった気分で、
いろいろな照明で撮影できるように各種ライトの設置を提案し、LEDライトも準備してもらいました。

会場での展示ではたくさんの写真とともに

撮影するアングルによっては、会場内の壁面が写り込んでしまう場合があり、ジオラマそのもの以外の背景写真を数点用意してもらいました。没入感が出る写真を撮れるような配慮です。

さらに、自分が撮影した写真を他の人にも見てもらえるように、会場内の壁に貼り付けるイベントを提案。小型のプリンターを設置してもらいました。訪れるたびに写真が増えていく楽しみからリピーターが増えるというアイデアを実現させました。

※渋谷「GalleryX」での展示会の様子（2017/11/12～29）。写真提供／千値練

#07

Reconstruction project

復興省「心の復興事業プロジェクト」

福島県被災地のなくなった駅を再現

[1/64 scale]

ジオラマで復元した新地駅を実際にあった場所で撮影

制作年	2016年	制作日数	30日
カテゴリー	心の復興事業		
制作形式	数枚の写真との調査でジオラマ制作		
問い合わせ・発注方法	ブログのメールフォーム		
発注者	新地町役場・復興推進課		

震災で失われた風景をジオラマによって心に刻んでもらえれば……

２０１５年11月、福島県の新地町役場・復興推進課からメールが届きました。東日本大震災で被災者が失った絆や元気を取り戻すため、「心の復興事業」に参画してほしいという内容で、「ジオラマで震災復興をする」という計画に高揚して動悸が激しくなりました。

国（復興省）に事業計画と予算申請をする締め切りまで2週間しかない状況下での相談でした。これは私にしかできない、独立してすぐにこんな仕事が来るなんて、これをやるためにフリーになったのでは？と運命的な熱い思いが込み上げている反面、被災者から求められているのか？「復興資金を無駄遣いするんじゃない」と批判を浴びはしないか？と、かなり悩みました。

しかし、ジオラマによる復興の事例を聞いて心配は払拭されました。２０１４年、福島県浪江町で、２畳ほどの建築模型を使い、自分の家の形や周囲の様子を書き込んだ付箋を貼り付けて町の記憶を残していくプロジェクトが成功を収めたとのこと。さらに今回はそれとは異なり、仮設住宅暮らしで近所付き合いがなくなって家にこもりがちな人を、楽しいイベントで元気づけたいという目標を聞いて意気に感じ、計画実行の契約を結びました。

復興省の申請が下りると、このプロジェクトにおける3つの方針を定めました。①ジオラマとは何かを教えるトークショーとジオラマ展示会。②実際にジオラマを作ってもらうワークショップ。③失われた町の風景をジオラマで復元して残す。

①は私の主な活動関連なので、内容や実施方法などフォーマットは準備済み。③はこのプロジェクトの直前の仕事、「フジサワ名店ビルの観覧車の復元」（P73～82）で実績があります。最大の課題は、②のジオラマワークショップです。

未経験者が多い中では、脱落者が出ないテーマを与えることが大事。スキルの差や、途中で飽きないようにという問題から、共通のジオラマベースを提示し、そこに完成している建物や車などの部品を自由にチョイスして取り付け、各人が工夫していく方法がいいと考えていました。しかし、津波で流失した、町のシンボルだった観海堂という明治の学校を作らせたいという強いリクエストがあり、もっとも避けたかった「全員が同じ物を同じように作らせる」方法でまとめるしかありませんでした。

フリーランスになって最初に大きな壁に直面したのですが、気持ちが切り替えられたのは、最初のステップのジオラマの魅力を伝えるトークショーで被災地を実際に訪れた時。報道などから被災者が暗くなっていると自分で思い込んでいたことを恥じるほど、みなさんは前向きで明るく、ジオラマのワークショップを楽しみにしている様子を見て、これならば難しい課題も乗り越えられると確信しました。

そうして準備を重ねたワークショップは、幅広い年齢層の方に参加して頂きました。復興推進課の方の予想を超える熱心さで、みなさんはジオラマ作りを堪能していました。自宅にてさらに自分で作り込んだ作品を持ち寄って、参加した人たちの投票で決めるコンテストも提案。思った以上に効果がありました。

震災で失われた風景を、ジオラマによってしっかりと心に刻んでもらえることができ、生涯忘れられない仕事となりました。

完成したジオラマは、実際に旧新地駅が建っていた場所の空の下で野外撮影しました。
日中と夕景、ともに、そのリアリティが滲《にじ》んでいるようです。

新地駅
タクシー
出の新地駅

［福島県 常磐線 旧新地駅］

■完成サイズ　［W］700mm［D］580mm［H］380mm
■再現スケール　1/64
■完成日　2016年10月30日

駅が建っていた地にて撮影した旧新地駅のジオラマ

在りし日の実際の新地駅の写真

※写真提供/「れとろ駅舎」http://www.retro-station.jp/index.html　撮影日/2009.3.8

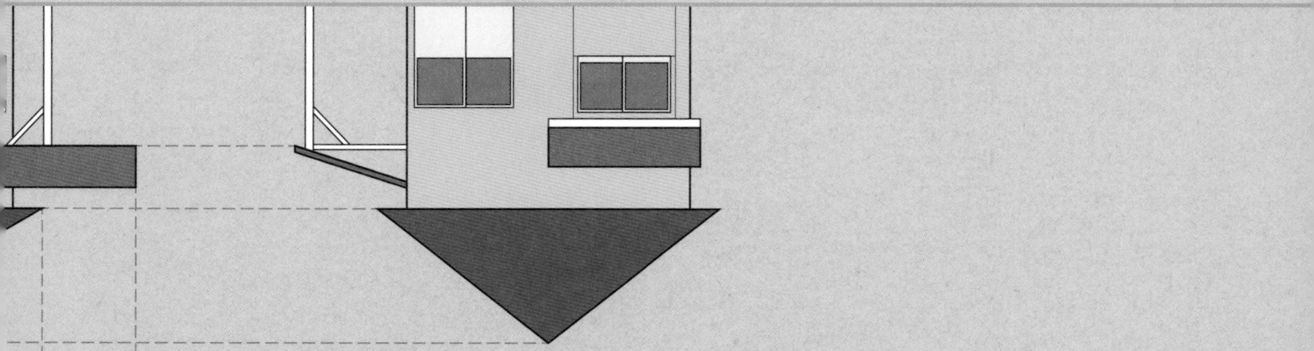

ジオラマ制作の最初の一歩は、再現するスケールの設定です。鉄道の駅舎の模型といえば、鉄道模型ではNゲージ（1/150）かHOゲージ（1/80）がポピュラーです。ともに、レールやホームなどの部品も入手しやすく作りやすいのですが、旧新地駅はとても小さな駅舎なので、建物が手のひらサイズになってしまいます。そうなると、私が目指す「思い出が喚起される風景」として駅舎を主人公にしづらいのです。そこで、トミカなどのミニカーでの標準スケールである1/64に設定しました。これならば、駅前のロータリーに駐車する車にミニカーが使えます。

次に旧新地駅の資料探しに取りかかったのですが、すぐに難問に直面してしまいました。津波によって、新地町の写真など記録の多くが流失していたのです。JR東日本に協力を求めた際には、国の復興事業ということもあり豊富な資料が集まると期待していたのですが、常磐線の古い駅舎だとほとんど図面は存在しないことがわかりました。頂けた図面は数年前に外装工事の際に描かれた簡単な平面図たった1枚……。

外観の写真もJRにはなく、新地町役場で地元の方々に声掛けして集まった数枚の写真だけで外観図面を描きました。同時に、この駅に関する思い出を募りました。待合室にあった図書コーナーがあったことから、外にあった汲取式のトイレが臭くて使うのがイヤだったなどマイナスな思い出もむしろ大切な財産と考え、ジオラマのプランに組み込むように設計を進めました。

この図は書籍用に着色してイラスト風に仕上げていますが、実際にはレーザーカット用として部品ごとのアウトラインが必要なので、線画だけの図面です。

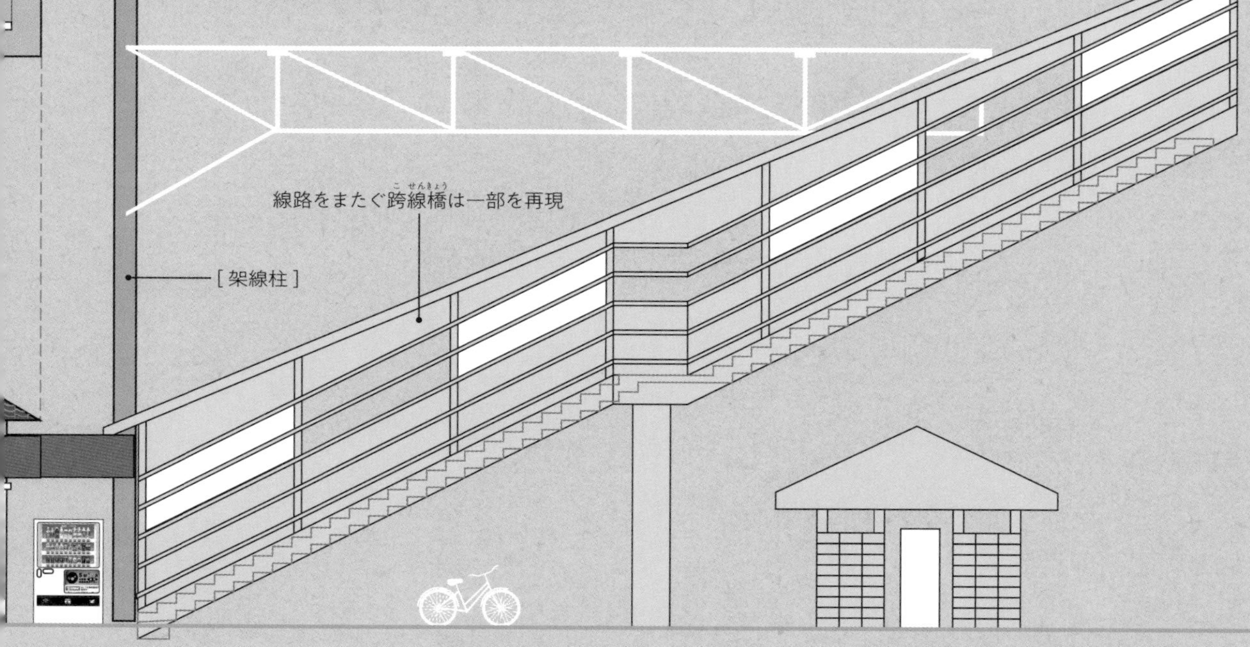

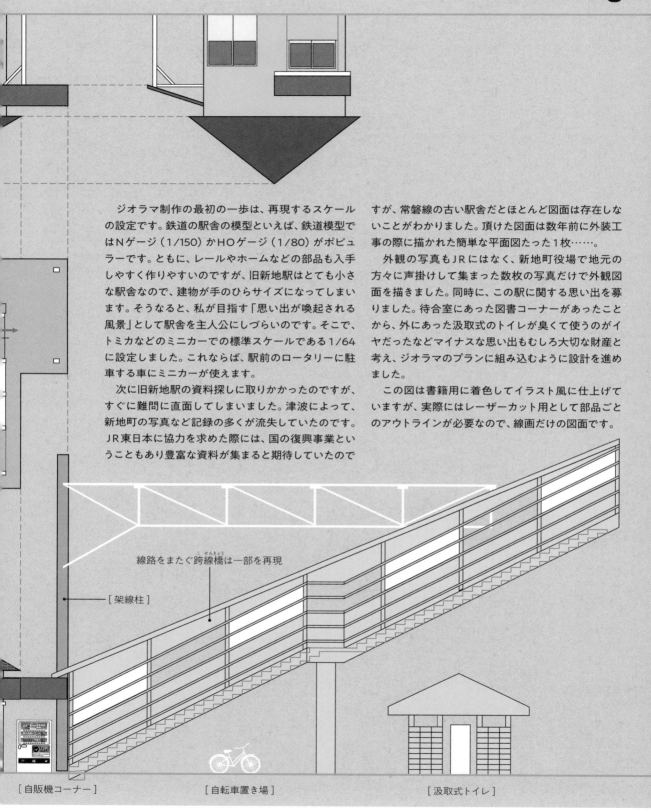

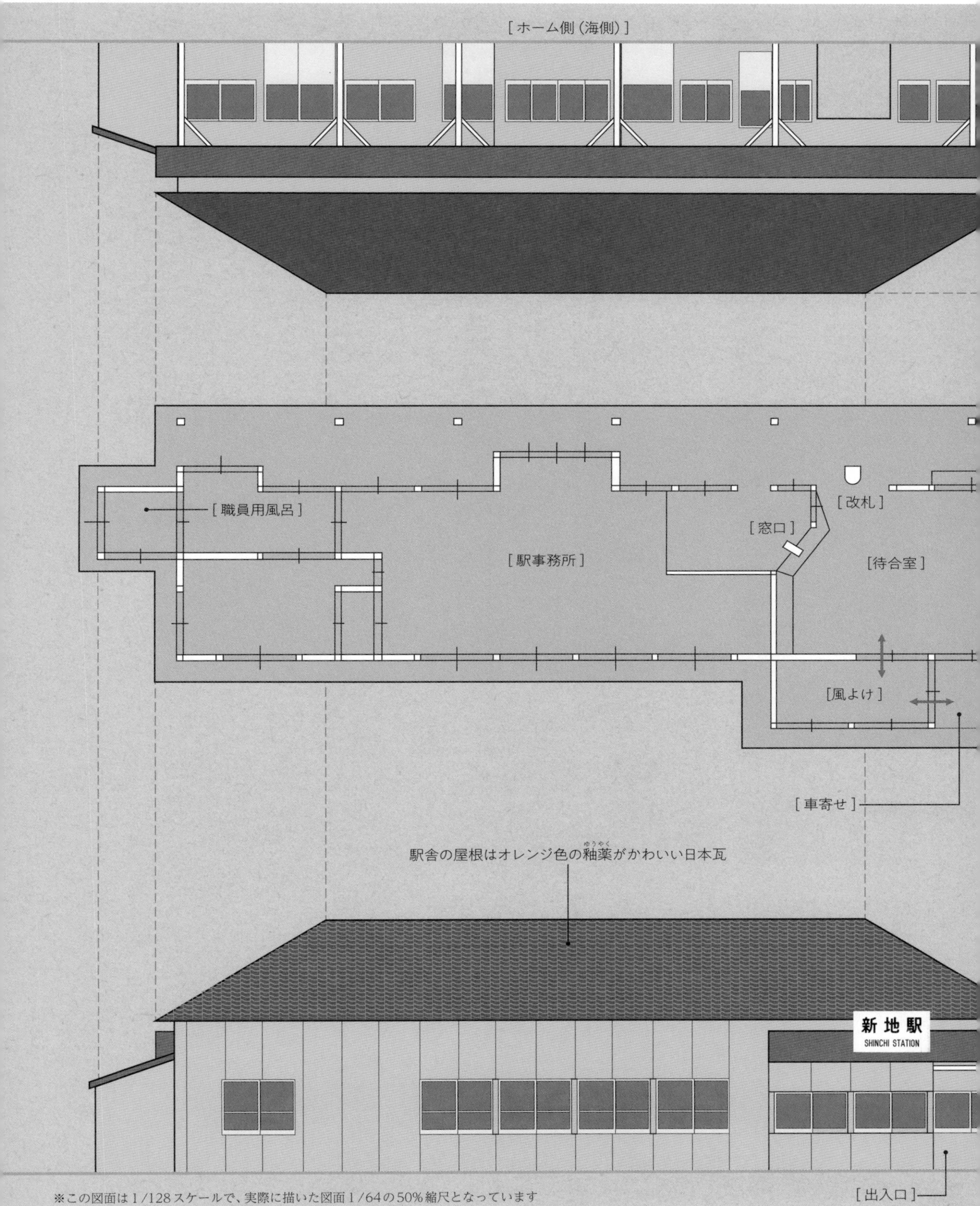

※この図面は1/128スケールで、実際に描いた図面1/64の50%縮尺となっています

Making

ジオラマの土台には、建築素材の断熱材、スタイロフォームを使用。ホーム＆駅舎から駅前の土地までが地続きで、線路部分だけに段差がつくシンプルな構成。ミニカーの標準スケールからジオラマを1/64に設定したのですが、偶然にも、鉄道模型にはほとんど普及していない「Sゲージ」という規格があって、それがジャスト1/64！ ネットで検索すると、扱っているのは神奈川の篠原模型店だけ（！）で、通販で線路を取り寄せることができました。敷石は、鉄道模型店「ポポンデッタ」取り扱いの物で、実際に使われている敷石と同じ石を砕いたこだわりの逸品。接着は、モーリン社のスーパーフィックスを使いガッチリと固定しました。

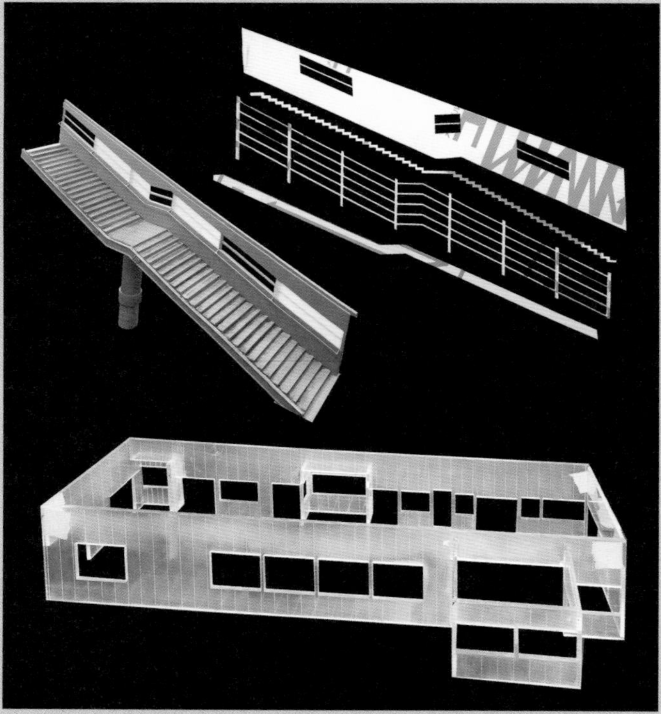

透明アクリル板2㎜厚で部品を制作。レーザーカット専門業者に加工を依頼しています。部品が届くまでに1週間ほどかかるので、その間に地面の工作などを進めておきます。アクリル工作専用の流し込み接着剤を使うと数分で乾き、すぐに形が整い作業が効率的に進むため、アクリル製の建築系模型は博物館などの展示物に多く使われているのです。

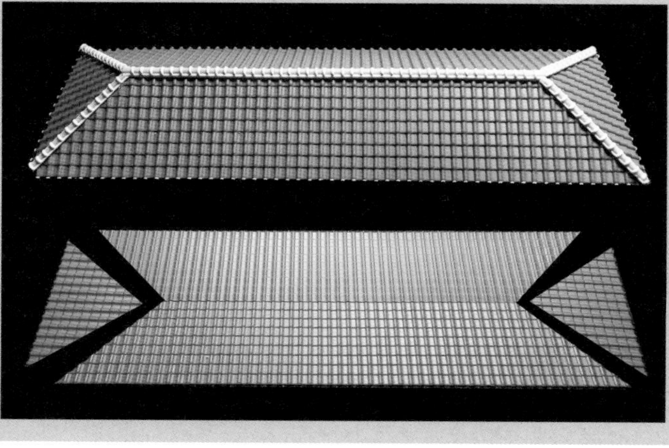

駅舎の屋根は、オレンジの釉薬《ゆうやく》仕上げの日本瓦なので、建築模型に使われる「プラストラクト」製、バキューム成形のプラ板「日本瓦」（1/50用）を使用。4面が斜めに組まれる寄棟《よせむね》作りの屋根で、板の正確なカットは難易度が高いのです。慎重を期すため、アクリル板ででき上がった駅舎に合わせてまず厚紙で仮屋根を作り、それをガイドとしました。各面の屋根が接する部分に乗る丸瓦は、丸パイプのプラ棒を使って再現しています。

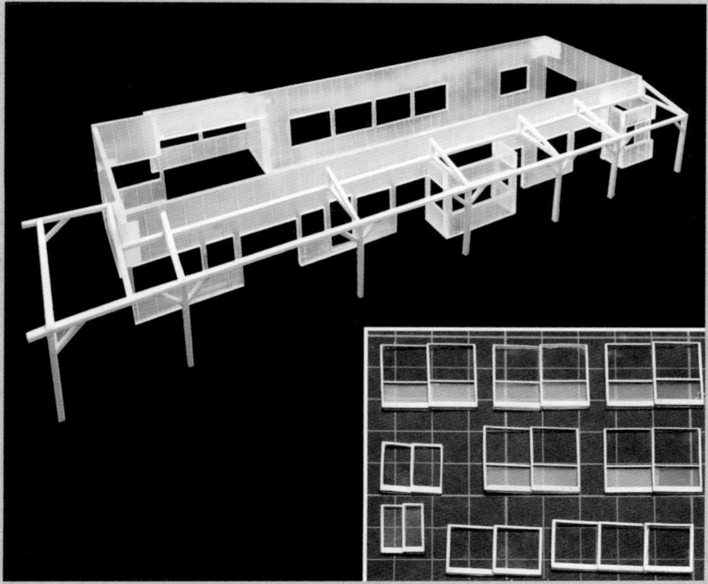

ホームの屋根構造材は、ヒノキ材2㎜角で制作。屋根の裏側の構造などは、常磐線の同年代の駅舎の写真から推測しました。この部分の屋根は波板なので、「プラストラクト」製の波板形状のプラ板を接着します。建物の仕上げを左右する窓の部品は、透明アクリル板0.5㎜厚に、紙をレーザーカットした窓枠部品を貼り付けて制作。引き違い戸の段差もしっかり再現した緻密な造形で仕上げました。すりガラスは、トレーシングペーパーを貼って再現しています。

旧新地駅には、駅舎の外に汲取式のトイレがありました。パステル系ブルーのかわいいデザインの建物だったこともこれを作りたかった理由ですが、さらに重要なポイントは「匂い」。もっとも記憶を喚起する刺激要素であり、この駅の思い出が蘇りやすいと考え、しっかり作り込みたいと思いました。構造は駅舎同様で、アクリル板2㎜厚のレーザーカット加工部品と、「プラストラクト」製のパターンプラ板「日本瓦」の組み合わせ。完成後はほとんど見えなくなる室内もできる限り再現しました。

旧新地駅を利用した方がもっともよく使って記憶に刻まれているはずの、待合室と切符売り場。詳細にわかる写真が地元の方から入手できたことで、看板の1つ1つもしっかり作ることができました。時刻表板の左横にあるのは、駅員さんお手製の図書コーナー。町の方の持ち寄りで本の種類も充実していたとのこと。その写真からミニチュアを作り起こして設置しました。待合室の中と駅のホームに敷かれた点字ブロックは、ステンレスエッチングを制作してくれる「Three Sheeps Design」（P49）に発注したものを使っています。ジオラマに緻密感を演出するいいアクセントになっています。

ジオラマワークショップによる
もう１つの復元
「観海堂」

ワークショップで制作した街のシンボル・観海堂

この復興プロジェクトにおける２つ目の目的は、被災地でのジオラマワークショップの実施でした。新地町役場からは、津波で流された、町のシンボルだった観海堂を題材にしてほしいと強くリクエストされました。

とてもシンプルな藁《わら》葺き屋根の日本家屋でしたが、２時間程度のワークショップで建物を完成させるのは初心者では難しいはず。悩んだ末、建物はペーパークラフトで作り、地面などの工作は参加者にアレンジしてもらう方法に行き着きました。役場に残っていた観海堂の４面図をもとに、描画ソフト「Illustrator」でペーパークラフトを設計。そのデータからまずは新地町役場のスタッフに作って頂きながら、制作時間のシミュレーションを何度も行って、ペーパークラフトの作りやすさを煮詰めていきました。

それと平行して、ワークショップで使用する材料を考えていきました。予算セーブのために１００円ショップで入手、地面や草を作るための材料は現地で調達可能な物を探し、一部に使うジオラマの専門材料は模型店で大量購入しました。

さらには、ワークショップ中のケガ対策として保険の手配など、運営上の細かな準備までアレンジしました。実は、旧新地駅の復元ジオラマ制作よりも、こちらの準備のほうがはるかに大変だったのです。

福島県でもっとも古い学校（今の小学校）です。明治５年、学校制度についての法律が発布される直前に開校。平成８年に解体・修復されましたが、東日本大震災により大破、流失してしまいました。

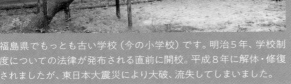

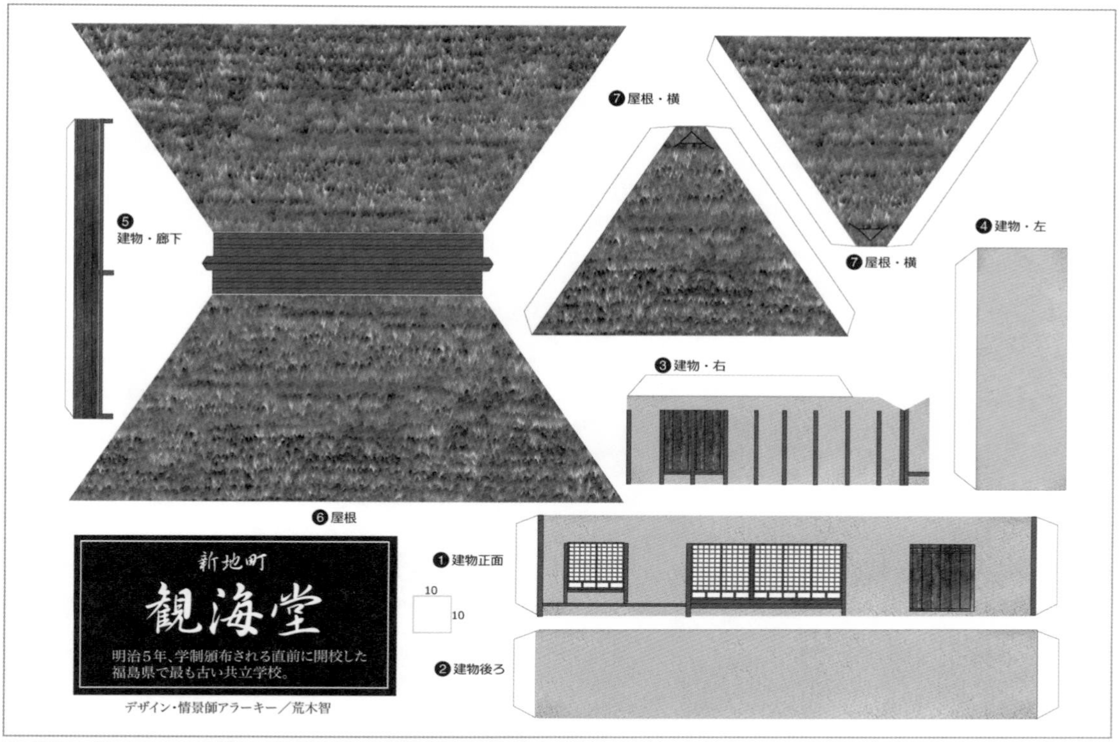

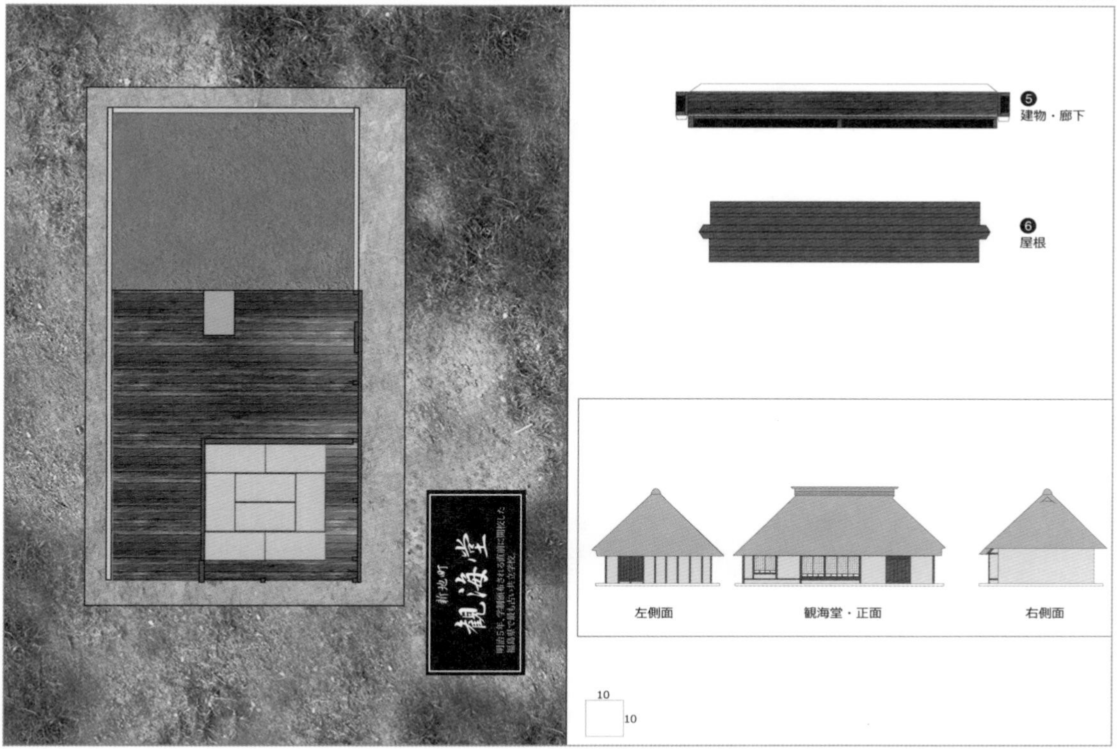

これが、ワークショップで使用したペーパークラフトです。Ａ４サイズ２枚の構成で、ペーパークラフト用の厚紙でプリントして参加者に配布しました。ワークショップでは、藁葺き屋根は、スチレンボードを切り出し表面をケガいて再現。地面は、ジオラマ用の草を木工用ボンド接着する方法を提案したのですが、初心者では作業が難しいため脱落者が出ないように、屋根と地面は、最低限でもペーパークラフトで完成するように設計しておきました。

盛況だったジオラマワークショップ

観海堂をジオラマで再現するワークショップは、2016年7月と8月に2度開催。3歳（親子で参加）から85歳まで幅広い年齢層で、合計約70名の方に、初めてのジオラマ制作を体験して頂けました。2回とも予定時間を2時間オーバーして完成までこぎ着けました。ワークショップ後には時間内で間に合わなかった細部の仕上げ方をアドバイスし、作品を持ち帰って頂きました。

それらのジオラマは、9月に行われた、私が制作した旧新地駅ジオラマの完成お披露目イベントの際に持参して頂き、参加者全員での投票により各賞が決定しました。大賞に選ばれたのは参加者中で最高齢の方のこの作品！　干し柿が吊るされていたり、庭の緑や囲いなどのとても細かい造作など、ジオラマ制作の経験ゼロの方とは思えない素晴らしい作品に仕上がっていて、関係者一同を驚かせたものです。

#08

For TV program sets

NHK

TV番組「おせっかいなサワベ不動産」のセット用

[1/25 scale]

放映されたドラマの映像から

制作年	2015年	制作日数	20日
カテゴリー	TV用特撮ミニチュア		
制作形式	二足のわらじ作家時代の最後の作品		
問い合わせ・発注方法	ブログのメールフォーム		
発注者	株式会社フジクリエイティブコーポレーション		

子供の頃から憧れていた特撮用のセットの仕事がフリーへの架け橋に

ジオラマ作家として独立するキッカケの1つが、2015年3月に、NHKのドラマの撮影用として制作した不動産屋のジオラマ作品。なぜ大企業のサラリーマンを辞めて、フリーランスになったのか、前年の10月に話は遡ります。

テレビ朝日の「タモリ倶楽部」に出演した時のこと。「異能のジオラマ作家」という番組で、タモリさんの前で3人の作家が、代表作品をプレゼンテーションする内容でした。私は代表作として、バットマン映画「ダークナイト」に出てくる犯罪都市「ゴッサムシティ」を紹介。多国籍の住民が暮らす混沌とした場所。そのゴミまみれの街を忠実に再現した作品でした。

番組用に、パソコンから「指ぐらいの大きさの黒いゴミ袋をつまんだゴミ捨て場のジオラマ写真」を探してプリントして用意。あらためて、我ながら面白い写真だなと、何気なくツイッターに写真を投稿して収録に向かいました。すると収録中にマナーモードのスマホが延々とブルブル振動を続けています。撮影が終わって見てみると……リツイートが5000件！　いわゆる「バズっていた」のです。

そしてその夜からは生活が一変しました。サイトの取材や記事掲載の許可に始まり、数件の書籍化のオファーなど。さらにそのあと、「マツコ&有吉の怒り新党」に出演するとさらに話題を呼び、ほぼ毎日、取材や出演依頼のメールが届きました。

そんな中でふと、「もしかしてこれがきっかけで独立できるのではないか？」という甘い考えが湧き起こりました。しかし、書籍化のお話以外は収入に繋がるわけではなく、悶々とした日々を送っていた時、「NHKの単発のドラマの特撮用のセットを作ってほしい」というメールが届きました。

番組は、下町にある架空の不動産屋「サワベ不動産」の社長（お笑いコンビ・ハライチの澤部佑）が、訪れるお客（ゲスト）の要望を聞き、なぜか世界のユニークな物件を次々に紹介して驚かせるという内容。原寸で不動産屋のセットを組む予算がないので、リアルなジオラマで撮影できないか？という相談でした。子供の頃から憧れていた特撮用のセットの仕事ができる！　予算は相場並みで、制作期間も、会社員のアフター5だけで作っても十分な時間があり、即答で仕事を請けました。

建物の条件は「下町にあって、両側が建て替えられたビルで、古いノスタルジックな外観」というだけでデザインは任せて頂けました。日頃から撮り貯めていた、銅板張りの外観の商店＝「看板建築」を提案し、快諾が出て制作に。完成したジオラマは番組スタッフにも大好評。

しかし、無事に撮影が終了した時は、仕事を終えた充実感よりも、この先の不安しかなかったのを覚えています。というのは、納品する直前に私の人事異動があり、そこは期待されている新分野で激務の部署。しかも、今までいなかった部下を10人以上抱える管理職！　期待されての異動だとわかっていましたが、慣れない分野で残業は多い。ジオラマ作家の活動はまったくできないのに、毎日のように取材やジオラマ制作のオファーが入る事態……

このジオラマが作家として受注・納品した初めての仕事であり、最初の一歩として練習になったおかげで、半年後の10月に独立にたどり着けました。

■完成サイズ　[W] 450㎜ [D] 340㎜ [H] 490㎜
■再現スケール　1/25
■完成日　2015年4月15日

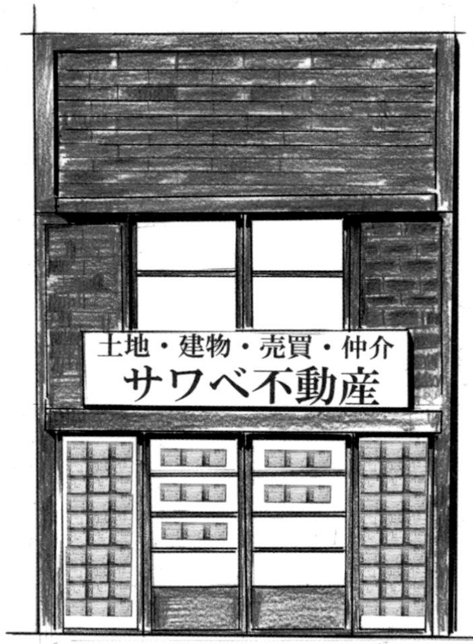

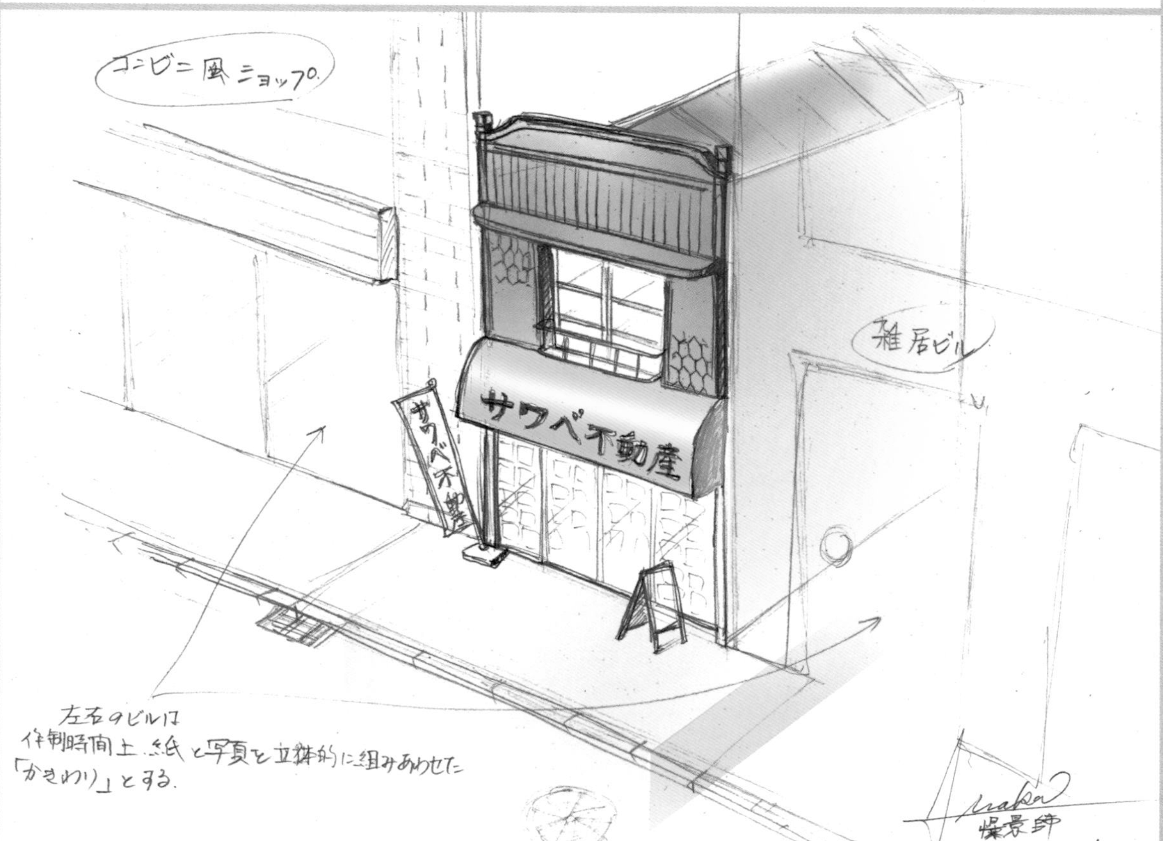

ジオラマ制作の前に、イメージを共有するために、仕様書代わりに数枚のスケッチを描いてみました。
番組からの要望は「下町にあって、ビルに挟まれて建つ古い不動産屋」だけだったので、
昭和初期に建てられた銅板張りの「看板建築」を提案。スケッチでOKが出たところで制作に入りました。

1 建物正面は、プラ板1.2㎜厚（「タミヤ」製）に、銅板貼りを再現するためにプラペーパー0.14㎜厚を貼ります。そのペーパーの裏をカッターの刃の背の部分でケガいていくと、表に凸模様が刻まれます。

2 戸袋は江戸小紋の「亀甲模様」です。ケガき針で模様をケガいてできた凹みに沿って、プラ棒を熱してから伸ばして自作した極細プラ糸を慎重に貼っていき、実際の建造物同様の立体的な造形に。

3 屋根は、３Ｄデータを作り３Ｄプリントを外注。雨どいは、プラ製のパイプを使用して自作。建物本体は３㎜厚の紙でできています。

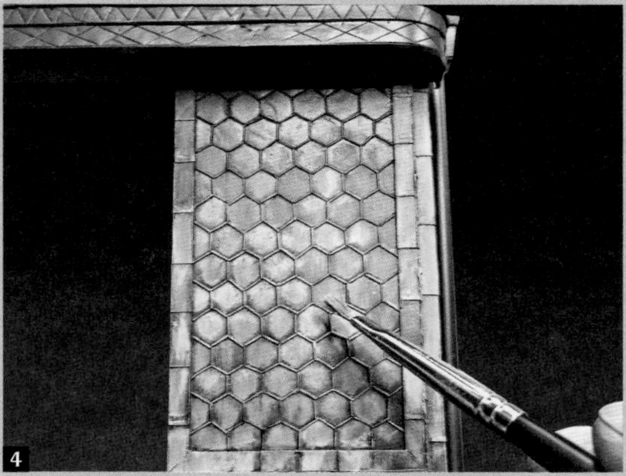

4 塗装は、古びた銅板の独特の緑青を表現するため、ラッカーのダークグリーンを下塗りした上に、エナメル塗料の「フラットグリーン＋フラットホワイト＋フラットブルー＋ブラック」の４つの混色を塗りました。

5 歩道は、スチレンボード３㎜厚（「タミヤ」製）に、ケガき針でタイルを彫刻。表面には、水で希釈したモデリングペーストを塗布します。

6 5の上からエアブラシで茶色の塗装したあとに、近所で採取した土を刷り込んで汚し加工。最後の仕上げとして、透明ツヤ消しスプレーを吹き付けて固定させます。

番組の主役とも言える建物が「朝・昼・夜」で違う魅力を見せてくれる造形を目指して

#09

Reproduced for the event

フジサワ名店ビル

創立イベント用に昔の観覧車を再現

[1/35 scale]

2015年フジサワ名店ビルで行われたジオラマ展示会の様子

制作年	2015年
制作日数	12日
カテゴリー	デパート創立イベント用
制作形式	数枚の写真と調査でジオラマ制作
問い合わせ・発注方法	Facebookのメッセージ
発注者	フジサワ名店ビル

幻の観覧車を囲んで知らない人同士が思い出話をする姿に喜びが

フジサワ名店ビルは、神奈川県のＪＲ藤沢駅に直結した老舗デパートで、２０１５年12月に創立50周年の記念行事を計画していました。過去に開催したウルトラマン展や、おもちゃコレクター・北原照久さんのコレクション展など、サブカルチャー系の展示が好評だったこともあり、私が発表していた過去のジオラマ展示が候補に挙がり、オファーが届きました。

それはフリーランスになった直後の２０１５年10月。独立を決めた時点では11月までの仕事は決まってましたが、その先の具体的な仕事は確定してはおらず、ＨＰの整備、名刺作り、税務申告などを始めようかなぁと漠然と考えていた時でした。

企画は、長年このビルに携わってきたマーケティングコンサルタントの西川りゅうじん氏。バブル期には「アッシー・メッシー」など数々の流行語を生み出してきた方。聞けば、私のＴＶ出演を以前からチェックしており、独立を知ってすぐにオファーしてくれたと。やはり、ＴＶ取材は自分をアピールするには効力があるツールだと痛感しました。

このビルがオープンした昭和40年と、私が作るノスタルジックな作風が創立記念にぴったりというコンセプトは私も納得できました。独立後の稼ぎ頭になるかと考えていた「展示ビジネス」は重要な柱。所有する作品を貸し出してお金を得る仕事としては初のオファーでした。その時点ですでに、作品ごとの貸し出し料金、輸送方法、保険をかける手順や、必要な説明パネルなどは準備済み。必要な貸し出し数や展示計画の図面や見積もりなど、スムーズに提示することができました。

すると、ジオラマ展とは別の仕事の追加を相談されました。創立した頃は、国鉄・藤沢駅周辺ではもっとも高いビルで、屋上に小さな観覧車があり、西を向けば富士山が大きく見え、南を向けば江ノ島がはっきり見える夢のような立地条件が話題になったそうです。しかし、観覧車にとって湘南からの海風は厳しく、稼働日数も少なく、塩害による腐食の問題も重なり、残念ながら7年で取り壊されました。その観覧車のジオラマを作ってほしいと！　題材としてはとても面白く、「幻の観覧車がジオラマで復活！」は客寄せには有効なフックで、断る理由などありません。

しかし問題は山積みでした。頂いた資料は不鮮明な白黒写真が数枚で、カラー写真はゼロ。まさかの図面もナシ！　考古学者のように数少ない資料から当時の姿を想像して設計を進めました。その後、ビルの社長さんと打ち合わせをすると、設置されていたコンクリートの土台が残っていることや、写真のアルバムがあることがわかりました。その中に、観覧車がわずかに写ったカラー写真を見つけ、図面の仕上げや塗装計画を立てられました。この時の「建築探偵」ばりの解析テクニックは、その後依頼された、失われた建物をジオラマ再現する仕事で大いに役立ちました。

過去作品のジオラマ展も、観覧車ジオラマも大好評で、特に年配の方は昔を思い出すきっかけになったようです。知らない人同士がジオラマを囲んで、観覧車から見た江ノ島の美しさや、乗る順番待ちの間にアイスクリームを落として泣いたことなど、同窓会のように思い出話をする姿を見て、制作した喜びが満ち溢れてきました。

駿河銀行

ペレット

ペレット
三菱銀行

完成し納品した際に、フジサワ名店ビルの屋上の、観覧車が設置されていた台座にて撮影した写真です。2015年11月30日。

#09 フジサワ名店ビル

■完成サイズ　[W] 700㎜ [D] 500㎜ [H] 500㎜
■再現スケール　1/35
■完成日　2015 年 11 月 30 日

完成した観覧車ジオラマは、2015年12月1～6日の間、フジサワ名店ビルにて開催された開業50周年記念イベント「懐かしい昭和ジオラマ展」でお披露目されました。

会期中に、このジオラマを熱心に見ていた70代ぐらいの老夫婦が、旦那さまとの初デートがこの観覧車だったと懐かしそうに語っていましたが、「それは俺じゃない！」と言ったことで会場内が静まり返る事態に！ しかし奥さまが、富士山と江ノ島が同時に見られるその光景を、若き日の旦那さまが凄い凄いと喜んでいたエピソードを話し始めると、「あ、そうだ！ 俺だ」と思い出して周りがどっと笑ったことで、みんなが堰《せき》を切ってそれぞれの思い出話を始めていました。この、同窓会のようになっていた状況がとても印象に残りました。

白黒写真だけでは掘り起こせない人々の記憶でも、立体化されたリアルなジオラマによってスイッチが押されたように、様々な思い出が蘇るものなんだと確心しました。この依頼以降、わずかな写真から懐かしい光景を再現するジオラマ仕事が増えていきました。

フジサ

フジサワ名店ビル

Making

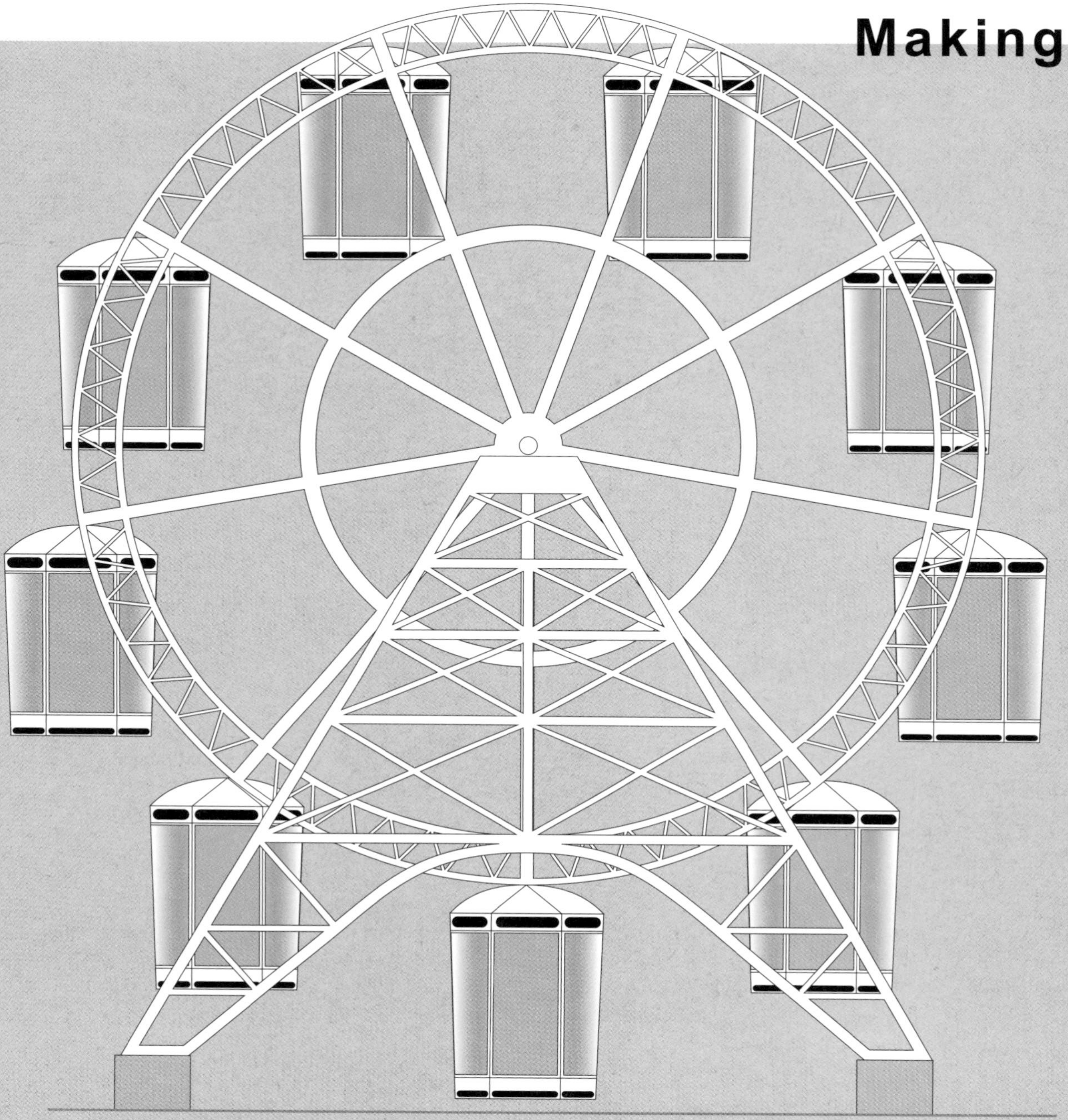

※制作した図面のスケール(1/35)の1/2縮尺です

藤沢の駅前のシンボルなのに図面やカラーの写真が残っていないなんて！ 観覧車の作図は、提供された4枚の白黒写真の解析からスタートしました。どれも不鮮明な写真で、鉄骨の支柱の構造や、ゴンドラの形状がなんとなくわかる程度でした。

描画ソフト「Illustrator」でわかる範囲で作図したものを持参して、ビルの方々に聞き取り調査を実施。すると、現在は夏のビアガーデン期間しか使われていない屋上に、観覧車のコンクリート基部が撤去されずに残っていることがわかり、現場に向かい採寸。やっと、支柱間の正確な寸法だけは判明しました。他のディテールは、昭和31年築で有形文化財に指定されている、名古屋三越の屋上観覧車を参考にしました。

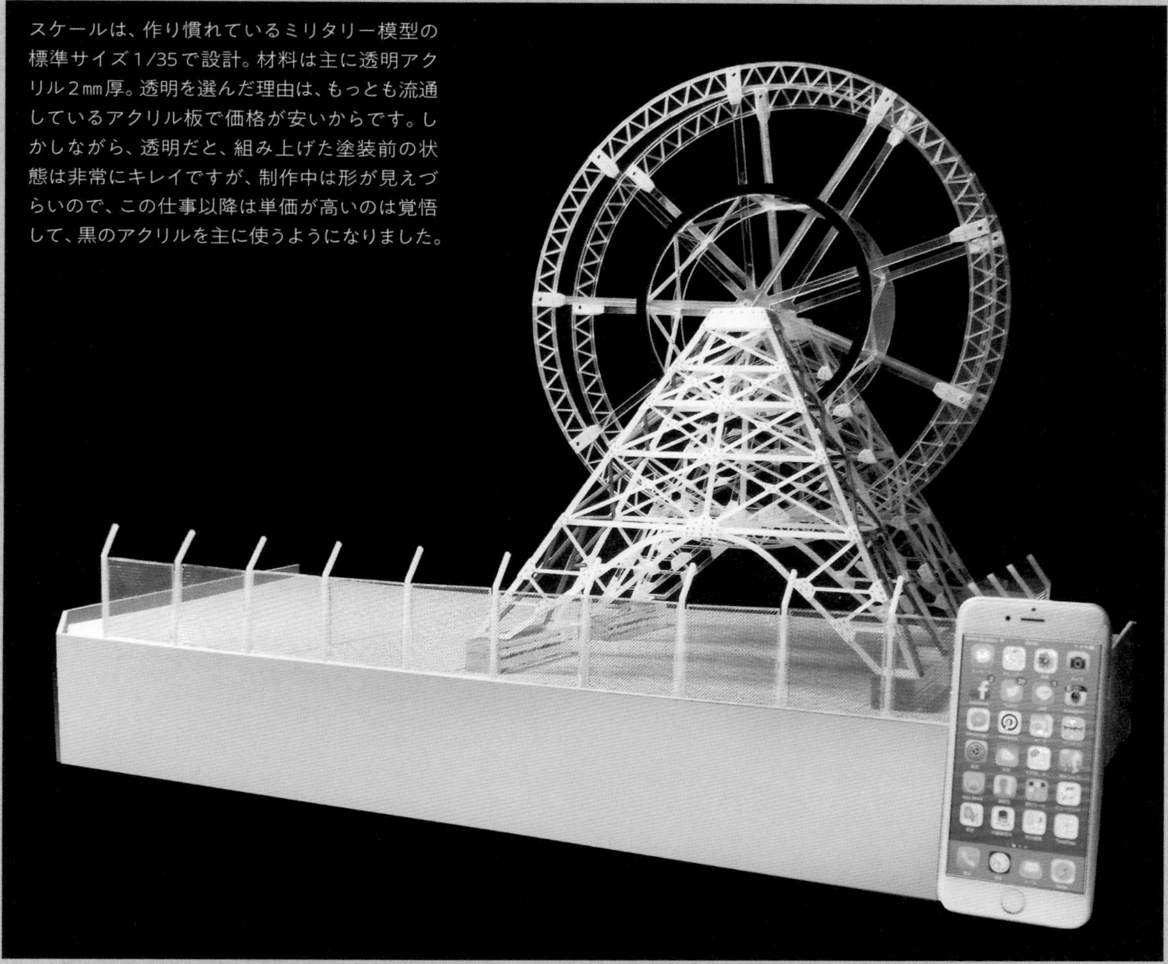

スケールは、作り慣れているミリタリー模型の標準サイズ1/35で設計。材料は主に透明アクリル2㎜厚。透明を選んだ理由は、もっとも流通しているアクリル板で価格が安いからです。しかしながら、透明だと、組み上げた塗装前の状態は非常にキレイですが、制作中は形が見えづらいので、この仕事以降は単価が高いのは覚悟して、黒のアクリルを主に使うようになりました。

ジオラマとしての制作範囲は、屋上全体の再現ではなく、観覧車を主役にした部分だけの構成としています。

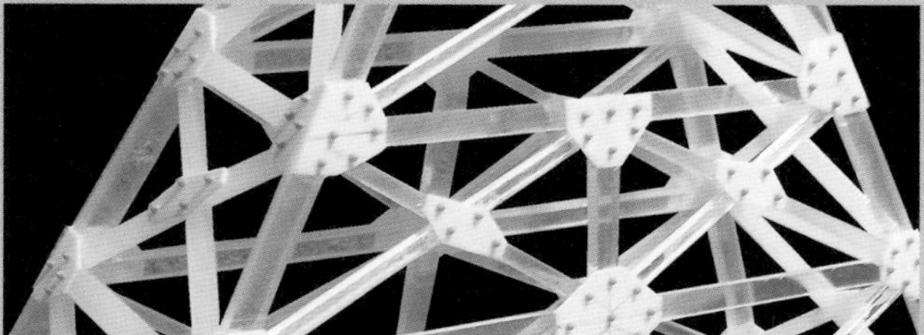

この複雑に見える構造は、昭和30年代に全国のデパートに普及した屋上観覧車に多く採用された標準的なもので、「トラス構造」と呼ばれています。実物においては、支柱は1本ずつを「×」印に組み上げていくわけですが、ジオラマ制作上は、一体化された状態をレーザーカット部品として発注していて、組み立ては箱組みだけと効率化しています。支柱の「×」印結合部の再現は、まず薄いプラ板を貼り、そこにボルト＆ネジだけがモールドされたプラモデル用のディテールアップ部品を1つずつ接着しました。

屋上フェンスと電灯と床は、なんと開業当時の物が今でも使われているのです！　なので採寸しての作図が可能。ジオラマでは、細かい目の金属製の金網とプラ棒を組み合わせ、緻密感のあるフェンスを制作。電灯のガラス部分は、ボールペンの先端部分を応用しています。床に張られたタイルはアクリル板にレーザーカッターで彫刻して再現しています。

ゴンドラ部分は、形状と色が不明な部分が多く、最後まで苦労しました。箱部分は下部に向かってわずかに細くなるテーパー状。その再現のために、雑貨店を何軒も訪ね歩いてようやく、サイズがぴったりなプラスチック製のコップを入手！　天井の円形の傘は、プラ板を熱してやわらかくして吸い上げるバキュームフォームのキットで作り、ゴンドラ周囲は切り出した薄いプラ板を塗り分け、接着して作りました。

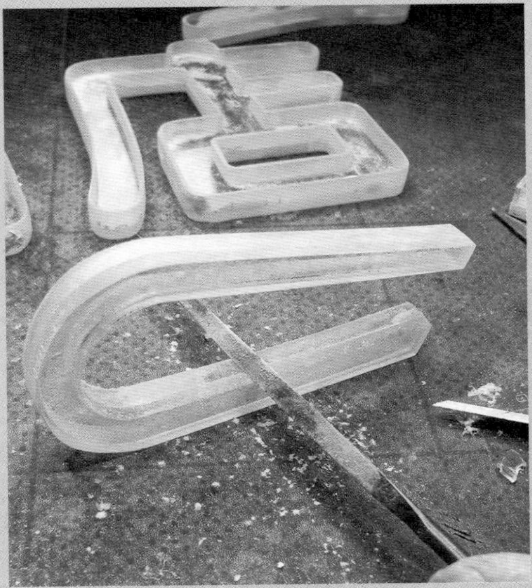

ジオラマ制作では、まず写真から看板文字のアウトラインを読み取り、レーザーカッターによるアクリル板から文字部分の切り出しを発注。文字の内側にはネオン管が入っていたはずなので、文字周囲がかなりの高さの凹状になっている形も再現しました。

制作途中にビル本社でカラー写真を発見！　屋上には開業当時の店名の巨大な看板があり、その時点まで不明だったゴンドラの色は、赤と白が交互に配色されていたことがわかったのです。

#10

For PR project

オレゴン州観光局

PRプロジェクトのイベント用

[1/87 scale ～ 1/300 scale]

2019年に渋谷のホテルで開催された観光キャンペーンの会場の様子

制作年	2019年	制作日数	43日
カテゴリー	観光促進イベント		
制作形式	餅は餅屋の実力モデラーを集結させたジオラマ制作＆プロデュース		
問い合わせ・発注方法	ブログのメールフォーム		
発注者	株式会社 ゼオ		

3人がかりの分業体制で進めた7シーン同時制作プロジェクト

2018年の年末、以前も仕事をご一緒した方からのメールがありました。2013年に、カメラショーのカシオのブースにジオラマ作品を貸し出した際の広告代理店の方です。私が初めて作品を有償で貸し出したのがこの時。5年前のことを覚えてくれているのは嬉しい！ しかも今回はジオラマ制作のオファーです。

内容は、アメリカのオレゴン州の観光キャンペーンで、来場者に撮影をしてもらうためのジオラマ。現地を訪れたようなリアルな写真が撮れて→実はジオラマでした！ の意外性を拡散できる狙い。観光スポット7ヶ所を250㎜四方のサイズで作るという面白そうな仕事です。しかし、7シーンとなると納期と予算が問題。依頼時に1シーンいくらと予算を提示されましたが、残念ながら満足とは言えない金額。相場としてもこれぐらいという指針を提示して、いったんはメールのやりとりは終わり年が明けました。その後忘れかけていた1月下旬。1シーンあたりの予算が2倍になって再度オファーがありました。

納期は1ヶ月ありましたが、1ヶ月7シーンは単純計算で1シーンを4日で作らねばならず、その時に大きなジオラマ制作の仕事を抱えていて、確実に無理な話でした。受注契約を数日待ってもらい、その間に、分担するならこの人！ という、2人のジオラマ作家に打診しました。1人はサントリーの広告（P31～34）で素晴らしい作品を仕上げてくれた、すこっつぐれいさん。もう1人は、女性のドールハウス作家のバンビーニさん。ともに快諾を頂き、7シーン同時制作がスタート。

バンビーニさんには、ドールハウスでは定番として使われている細かい造形ができる樹脂粘土で爪楊枝大のチューリップを発注。アイデアスケッチと資料写真を送って、ジオラマサイズで色とりどりのチューリップを作り続けてもらい、満足いく量になった時には1000本以上！ 完成後に受け取った花を数えて伝えたら、本人は500本ほどと計算していたらしく、自分の仕事量に驚いていました。

すこっつぐれいさんには、7シーンの統一感を持たせるための3シーンのジオラマ制作と、背景を貼るために板がL字状になったMDF製のジオラマベースを制作して頂きました。彼が得意とする「小さくて緻密な自然の風景」という作風はベストマッチでした。しかしこれも、サントリーの仕事同様、最終的には「よい写真が撮れること」が目的なので、進捗報告の写真では、ディテールよりも来場者がスマホで撮影した時に映える画を常に考慮して進めました。

ジオラマを作る際には、額縁のような縁を付けるのが定番ですが、写真を撮る時には邪魔になるので、風景をナイフで切り取ったような「縁を付けない」仕上げにしました。起伏のある地面のアウトラインに合わせて台座の断面も仕上げるので手間はかかりますが、高級感溢れる仕上げになります。

今回のジオラマでは、展示されるのが目的。どこから見ても美しく、写真も撮りやすいようにと、ケースなしで展示されるので耐久性も求められました。

展示イベントは渋谷のホテルのロビーで開催され、多くの写真が撮られ、オレゴンの魅力を広めるプロジェクトに貢献できました。

アイデアスケッチのやりとりから始まる

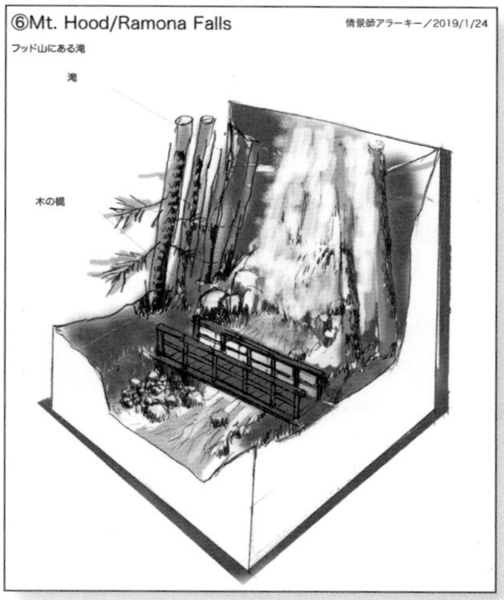
⑥Mt. Hood/Ramona Falls
情景師アラーキー／2019/1/24
フッド山にある滝
滝
木の橋

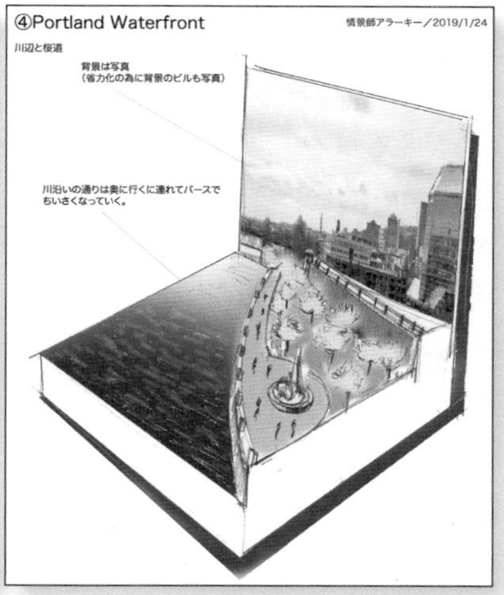
④Portland Waterfront
情景師アラーキー／2019/1/24
川辺と桜道
背景は写真
（省力化の為に背景のビルも写真）
川沿いの通りは奥に行くに連れてパースで
ちいさくなっていく。

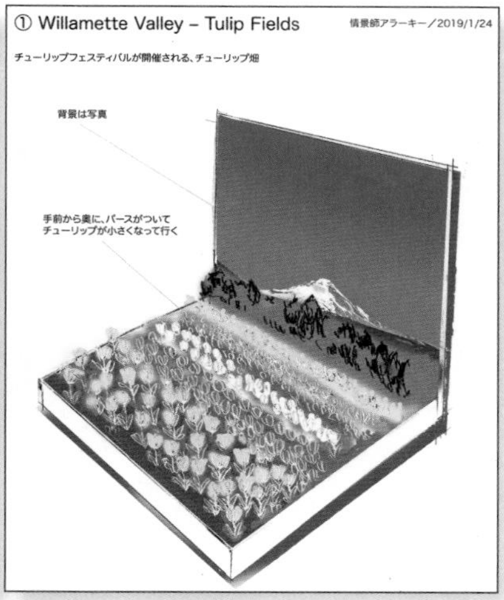
① Willamette Valley – Tulip Fields
情景師アラーキー／2019/1/24
チューリップフェスティバルが開催される、チューリップ畑
背景は写真
手前から奥に、パースがついて
チューリップが小さくなって行く

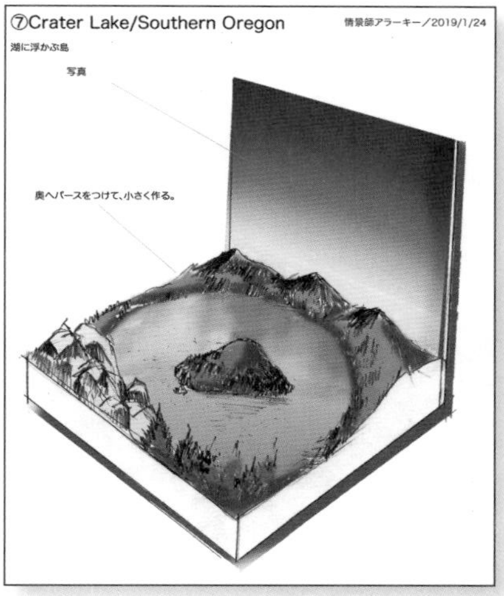
⑦Crater Lake/Southern Oregon
情景師アラーキー／2019/1/24
湖に浮かぶ島
写真
奥へパースをつけて、小さく作る。

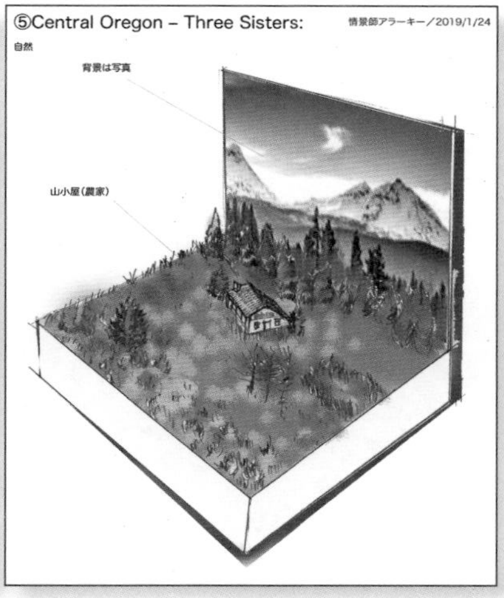
⑤Central Oregon – Three Sisters:
情景師アラーキー／2019/1/24
自然
背景は写真
山小屋（農家）

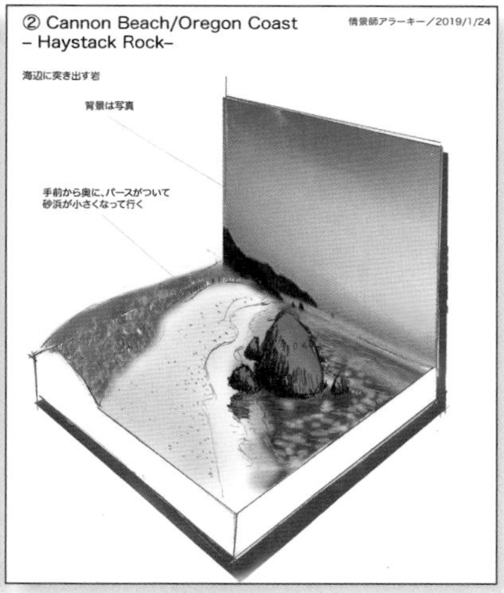
② Cannon Beach/Oregon Coast
– Haystack Rock–
情景師アラーキー／2019/1/24
海辺に突き出す岩
背景は写真
手前から奥に、パースがついて
砂浜が小さくなって行く

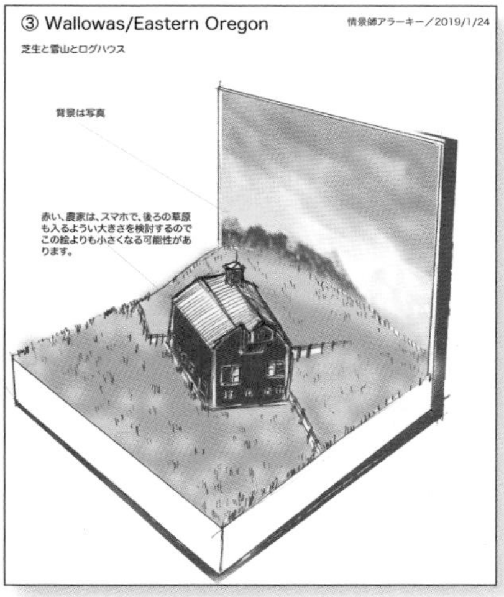
③ Wallowas/Eastern Oregon
情景師アラーキー／2019/1/24
芝生と雪山とログハウス
背景は写真
赤い、農家は、スマホで、後ろの草原
も入るようい大きさを検討するので
この絵よりも小さくなる可能性があ
ります。

まずは、スマホのカメラで撮影して画角にすべて収まるジオラマサイズをシミュレーションしました。ジオラマの幅、奥行き、背景の高さを割り出したあとに、具体的な設計に。クライアントから提供された、アピールすべき各地の観光写真がジオラマで撮影できる方法を、各シーンごとに盛り込んでいきます。より広大に写るように手前と奥行きでスケールを変える手法のパターン、グーグルマップのように真上からの撮影でもリアルに見えるパターン、作り込みを見せる大きなスケールのパターンなど、数種類のスケッチを描いてメールで確認というやりとりをしながら最終案に絞り込みました。

スマホで撮影

Mt.Foot Romona Falls

幅広い滝がカーテンのように広がるのが特徴の、フット山のロマーナ滝。7つのジオラマの中では一番スケールが大きい1/87で制作。地面から滝まで地続きとなるジオラマベースは、スタイロフォームを削り出して作り、かなりの時間を費やしました。滝の岩盤は、園芸用のバークチップ（樹皮を砕いたもの）を表面に貼り付けて再現。

滝の流れは、医療用の綿（目が細かい）を、鉄道模型で水の表現をする際に用いるゼリー状の素材に漬け込んでから貼っていきました。杉の木は、拾ってきた実物の杉の枝に、ドライフラワーのアスパラガスの葉を貼って細い枝葉を再現しています。

スマホで撮影

Portland Waterfront

オレゴン州最大の都市で、マルトノマ郡の郡庁所在地であるポートランド。その中央を流れるウィラメット川沿いは街の憩いの場です。川と公園に加えて、1926年築の跳開橋《ちょうかいきょう》・バーンサイド橋が写真に収まるようにという、このジオラマプロジェクト最大の難易度の要求が。なんとか実現するため、紙で試作をくり返して設計を進めました。写真で映えるように、あえて手前と奥のスケールを変えています。手前は1/150で、同スケールの鉄道模型用のフィギュアや桜の木を使って制作。奥のバーンサイド橋は1/300スケールで、描画ソフト「Illustrator」を使って作図したデータを使い紙をレーザーカットし、橋の細かな構造を作り上げました。

スマホで撮影

Wallowas

オレゴン州のワローワは、北海道のような風景が広がる、ドラマ「オレゴンから愛」でも有名になった場所です。赤い壁がとてもかわいい小屋は、この地の観光イメージとしてよく使われる有名な建物。写真をもとに描画ソフト「Illustrator」で設計して、厚紙をレーザーカットして切り出した部品で制作し、小さいのですがかなりの精度を出せました。牧草地は、雑貨屋で購入した、フィギュアを飾るための芝生シートがベースで、その上から鉄道模型用の草素材を散りばめ、自然な牧草に見えるようにアレンジしています。

#10 オレゴン州観光局

スマホで撮影

Willmette Vally Tulip Field

ウィラメットバレーのチューリップ畑は、オレゴン州の観光では欠かせない場所。毎年４月にはチューリップフェスティバルが開催されています。このシーンをジオラマ再現するために、チューリップのミニチュアを大量に作る必要に迫られました。そこで、友人であるドールハウス作家のバンビーニさんに制作協力を依頼。広大な光景に見えるように、チューリップの大きさが手前から奥へと徐々に小さくしつつ、樹脂粘土で約1000本も制作して頂きました。

［バンビーニさんのHP］ https://bambini.amebaownd.com/ ［LINE公式］＠482mgctw

スマホで撮影

Cannon Beach

オレゴン州の海辺の観光地であるキャノンビーチは、「世界で3番目に大きい一枚岩」と言われるヘイスタック岩で有名です。私が知る中で、このシーンの制作に最適のジオラマ作家、すこっつぐれいさんに制作を依頼。行程をメールで随時報告してもらい、要望をやりとりしながら進めました。スタイロフォームから切り出された浜辺と岩、そして、透明レジンで作られた海と、見事なまでに期待を上回るシーンを生み出して頂きました。

すこっつぐれい@箱庭作師　https://twitter.com/kokoro1394

#10 オレゴン州観光局

スマホで撮影

Cantral Oregon

セントラルオレゴンは、大自然が延々と広がる場所。山登りや川下りなどアウトドアが盛んな観光地です。しかし、制作の要望として送られてきた写真は、西部開拓時代を思わせる古びた小屋がある牧場の風景でした。アメリカ人にとっては、自然にノスタルジーを感じる場所なのかもしれません。さて、こういう何も特徴がないのにいい雰囲気を生み出さなければならないケースは、ジオラマ作家として上級テクニックとなります。前ページと同じく、自然シーンの造形に長けている、すこっつぐれいさんに制作をお願いしました。

すこっつぐれい＠箱庭作師　https://twitter.com/kokoro1394

Crater Lake

スマホで撮影

アメリカでもっとも深い湖がこのクレーター湖で、平均水深は350mです。キレイな円形のカルデラ湖で、噴火のあとにできた噴石丘《ふんせききゅう》であるウィザード島とセットの写真が有名です。こちらのジオラマ制作も、前の2つのジオラマ同様、友人のすこっつぐれいさんに依頼。湖のベースはスタイロフォームを削って制作。そこに湖の表現として、青く着色した透明レジンを、徐々に色を薄くしていきながら流し込む手法を用い、湖の深さを演出しています。あと、爪楊枝の先に鉄道模型用の葉の素材をまぶして作った針葉樹の森も秀逸です。

すこっつぐれい＠箱庭作師　https://twitter.com/kokoro1394

#11

For campaign

ヘキサギア

キャンペーン・展示イベント用

[1/24 scale]

制作したジオラマとヘキサギアの商品を組みわせた写真

制作年　2017年　制作日数　11日
カテゴリー　トイメーカーイベント
制作形式　来場者参加型のジオラマの提案
問い合わせ・発注方法　展示会で名刺交換したきっかけから
発注者　株式会社 壽屋（コトブキヤ）

たんなる廃墟ではなく廃工場にすることで撮影イメージが広がるのです

日本はプラモデル大国です。最盛期には80社ほど、現在も30社近いメーカーがあり、各社で内容がかぶらないように製品開発を進めている現状は凄いこと！　アイテムは、車、電車、船などの乗り物から、戦艦、戦車などの兵器、お城などの建物、アニメや映画のロボットやキャラクター……。かつては「餃子」のプラモデルがあったほど！

　そんな中、完全オリジナルのキャラクターのプラモデルを開発して、ライバル不在のテリトリーを展開するのが壽屋（コトブキヤ）です。戦後すぐに小さな玩具店として開業し、世界的な模型メーカーになった大企業です。ちなみに、現在の模型メーカーの多くが小さな玩具製造業として出発し大きくなっていった歴史があります。

　壽屋が、２０１６年に発売した「ヘキサギア」は、独自の世界観でデザインされたプラモデル。その設定は、「現在のエネルギーが枯渇して新エネルギーが登場し、ＡＩが発達した未来の世界戦争」。六角形（ヘキサゴン）の穴が空いた部品を自由に組み合わせて拡張が可能で、自分のオリジナル兵器が作れるのが特徴です。

２０１７年８月、以前、模型メーカーの展示会で名刺交換をした壽屋の商品開発部門の方から、イベント展示用ジオラマ制作の依頼が来ました。内容は、毎年９月に東京で開かれる模型メーカーの展示会「全日本模型ホビーショー」用で、「ヘキサギアの退廃した世界観でジオラマを作ってほしい」との要望でした。

　制作期間は、ＧＡＬＡ湯沢（P23～30）の制作と平行という状況でした。退廃した世界の作り込みは私の得意分野ではありましたが、せっかく依頼して頂いたのですから、何か新しい風を吹かせたい！　と考えていたら、この依頼の直前まで制作していたフォルクスワーゲンup!（P35～40）の特撮用ジオラマを思い出しました。

　完成されたジオラマ作品ではなく、来場者が持ち込んだヘキサギアを自由に置いて撮影できる、ミニチュアの映画セットのようなジオラマ！　そのアイデアを提案すると快諾となりました。

　設定したシチュエーションは廃工場。たんなる廃墟にしてしまうと戦闘シーンの撮影だけに限定されてしまうので、整備風景など、撮影する人の想像力を掻き立てる場所にする必要があると考えました。

　このジオラマの設計には図面はいっさい描きませんでした。制作方法としては、ジオラマが主人公にならずにヘキサギアが主役になるような必要なシーンを、先に写真から割り出していきました。

　まず、組み立て済みのヘキサギアを置いた周りに、スタイロフォームの切り屑を並べてテスト撮影をくり返して進めます。廃工場の鉄筋コンクリート構造の柱は、スタイロフォーム30㎜厚の板から切り出しました。コンクリートの表層の再現は、石膏をペースト状にしたモデリングペーストを塗布。屋根は、プラ棒各種で制作しています。

　イベント会場での完成したジオラマは、周囲に撮影用のＬＥＤスポット照明が配置され、まるで映画の撮影スタジオのように飾られました。

　持ち込みのヘキサギアだけでなく、会場に置かれたサンプル商品の撮影も自由にできて、イベントへの貢献ができたと自負しています。その後のイベントでも再活用され、息の長い広告ジオラマとなっています。

様々な状況設定で映画のワンシーンのような撮影を楽しめる設計

■完成サイズ　[W]600㎜ [D]400㎜ [H]400㎜
■再現スケール　1/24
■完成日　2017年9月27日

※写真のフィギュアは納品したジオラマには含まれません

G
WARNING

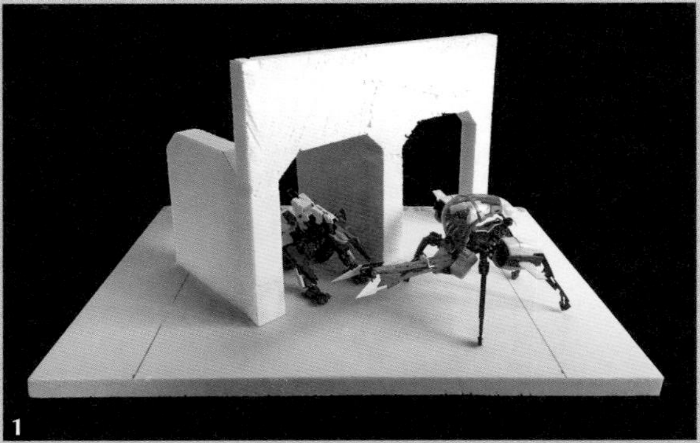

1

廃工場というコンセプトで、ヘキサギアの置き方を変えることによって、さまざまな整備風景や戦闘シーンを撮影できるというのが狙い。スマホのカメラで仮撮影しながら、シーンがうまく画角に収まるように壁の高さを探ります。図面は描かずにスタイロフォームに直に線を描き、カットしながら設計していきます。

2

1 のシミューレーションにより、アオリ角度で撮影すると展示会場の天井が写ってしまうことが判明し、工場に屋根を付けることに。当初の予定よりも工程が多くなってしまいますが、予算と納期はすでに確定しているので、可能な限り予算を抑えるような工夫を考えていきます。

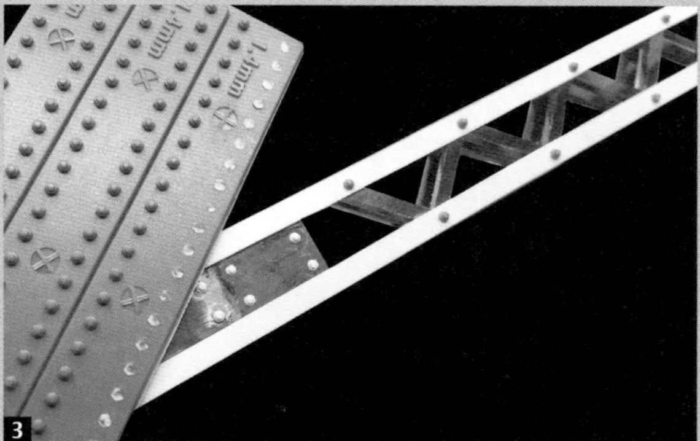

3

見所となる工場の屋根は、複雑な「トラス構造」にしたい！　別件の仕事で使った、アクリルをレーザーカットしたトラス部品があったので、それを使って予算を抑えて工期も短縮。その分を緻密化にあてて、リベット部品は手を抜かず、海外製のリベットパーツを1つ1つ丹念に貼り込んで再現します。

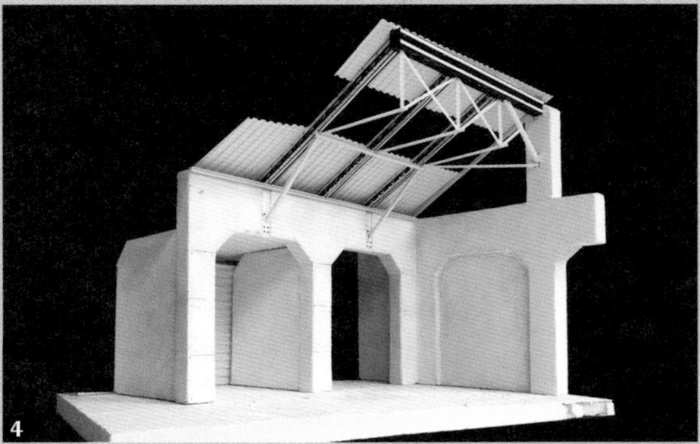

4

構造材は、スタイロフォーム30㎜厚で。表面にモデリングペーストを塗布し、乾燥後に表層を紙ヤスリ（120番）で軽めに整え、流し込みのコンクリートを表現。屋根は「プラストラクト」製のプラ材各種で。

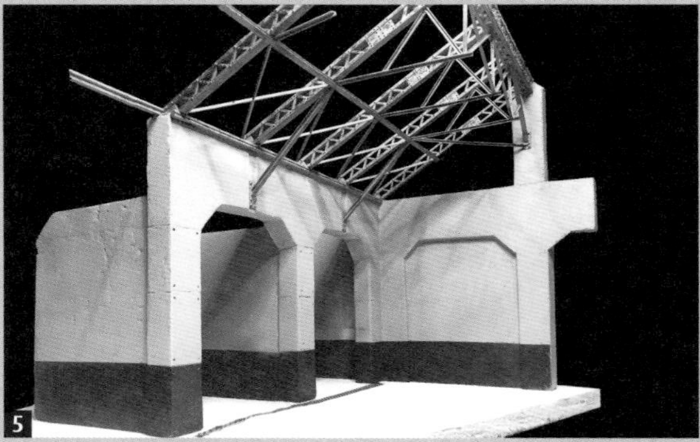

5

コンクリートの塗装は、サーフェーサー（「タミヤ」製）のライトグレーをそのまま生かします。古い工場によく見られる、腰の高さまである汚れ防止の緑の塗装をすると、一気にリアルな雰囲気が出てきます。屋根の構造部は、若草色でエアブラシ塗装。いずれもラッカー系塗料を使用しました。

6

雨漏りによる雨の跡、サビ流れ、擦り傷など、コンクリートのエイジングの表現として、アクリル系の塗料を筆塗りしていきます。今回は撮影用のセットとしてのジオラマなので、汚しは抑えるように留意しました。

ジオラマの床部分は、鉄粉のサビ汚れ、油シミなどを加えます。
滑り止めテクスチャー付きのプラ板による鉄板と、トラ縞の塗装がいいアクセントに。

サビの色としての塗料は、「ガイアカラー」の「赤サビ」がおすすめ。コシの強い平筆の毛先に少量を付けてトントンと叩くように塗布します。ラッカー系の塗料なので下地を溶かしてしまうため、塗る対象物が何かを確認する注意が必要です。

壁から欠落した想定のコンクリート片は、100円ショップで購入した、床補修用の小パックになったコンクリート（粉）を使用。水で溶かし、食品トレイに3㎜の厚みで流し、完全に乾燥する前に砕いて作ります。リアルな欠片《かけら》が再現可能です。

キャンペーン用に店舗で配布した撮影用の背景紙

「ヘキサギアキャンペーン用撮影背景紙」は、コトブキヤのオフィシャル店舗でヘキサギアを購入した方に配布した物です。制作したジオラマ(1/24) の背景を、原寸大で厚紙にプリントした撮影用の紙です。フォルクワーゲンup!の撮影用ジオラマのプレゼントキャンペーンを提案した二次利用提案と同種の事例です。納品前に撮影しておいた壁と地面の写真を、歪みなどを修正して写真データ加工。それを納品して、ジオラマ制作費とは別の仕事として受注しました。

#12

Exhibition set

アニメ映画「ダム・キーパー」

展示会で劇中セットを再現

[約1/35 scale]

2016年に新橋で開催された「トンコハウス展」会場の様子

制作年	2016年	制作日数	32日
カテゴリー	イベント展示用		
制作形式	アニメ映画のリアル化ジオラマ制作		
問い合わせ・発注方法	友人の紹介		
発注者	株式会社アニマ		

アニメ&ジオラマという異業種クリエーターのコラボレーションで

アニメ「ダム・キーパー」は、２０１４年制作のショートアニメ。舞台は様々な動物が幸せに暮らす街。そこは巨大な壁に囲まれ、外側は汚染された有害な雲が満ちています。それが街に流れ込まないように巨大な壁（ダム）と巨大な扇風機のような風車で守られていて、風車は1人の小さな子供のブタくんだけで維持されているのでした。キャラクターのかわいさに加えて、光の描き方が情緒的で、映像を見ただけで心が暖かくなるアニメです。そして、街の秘密や社会問題を反映した脚本と映像の美しさとのギャップで、一度見たら忘れられない映画で、アカデミー賞の短編アニメ部門にノミネートされました。

制作したのは当時、ディズニーを手掛けるアメリカのアニメスタジオ「ピクサー」に勤めていたロバート・コンドウさんと堤大輔さん。勤務時間外に制作を進めていたという背景が、私が東芝時代にジオラマ作家として活動していたことと重なり、シンパシーを感じる作家たちです。

ある日、Facebookでの繋がりから友人になった、映画やアニメで大活躍のＣＧクリエイターの帆足タケヒコさんから、ダム・キーパーのジオラマを作る仕事に興味があるか？　というメールを頂きました。ダム・キーパーのフルＣＧアニメ長編映画化に帆足さんが携わっていて、ロバートさんと堤さんがピクサー退社後に立ち上げたアニメスタジオ「トンコハウス」の仕事を紹介するイベントがあり、展示するジオラマを作る人を探しているとのことでした。

来日していた堤さんと初顔合わせにてプロジェクトの概要を伺うと、まだどんなジオラマにするか決まっていないので、依頼制作ではなく、アニメクリエイターとジオラマクリエーターという異業種のコラボレーションという形で関わっていきたいという希望に感動し、ジオラマの題材を探ることから取り掛かりました。

私がジオラマにリアリティを与えるために、時代背景やそれまでの歴史、まだ資料がなかった建物の内部などを妄想したスケッチを渡すと、それを受けて、背景デザインを手がけるロバートさんが素晴らしい風車小屋の断面構造図のスケッチを描き上げてくれました。私がそれを忠実に再現しながら、さらに塗装などでリアリティを加える方針で契約を結びました。

ロバートさんのスケッチの雰囲気を生かすため、設計は図面なしで進めました。ダンボールの試作模型をもとに構造体メインの柱を組み上げ、あとからその場で合わせるように各部品を作る方法です。有毒ガスが迫り来る中、一刻も早く風車を作らねばならなかった背景から、図面は詰めていないはずと妄想。柱も、あった部材を急遽加工したはずと、不揃いにしたほうがリアリティがあると考えました。表層だけを再現するジオラマではなく、構造体から作っていった建築物は初めての経験でした。

当初、動かすつもりは全然なかったのですが、風車の内部にある歯車を正確に作ると、しっかり連動して動いた時には自分で感動しました。できあがったジオラマは、新橋の「トンコハウス展」で無事に展示されました。ロバートさんと堤さんにも大変喜んで頂き、世界観を広めるお役に立てたかなと思います。今までの様々なお仕事でもっとも「納品したくなくなった」愛着のある作品になりました。

Making

このジオラマ制作は、トンコハウスと私のコラボレーションにしたいという嬉しい提案を頂きました。そこで、アニメの世界観自体に、より具体的なディテールを加味して設計するため、この風車小屋が生み出された歴史や、小屋の中に住み続けるための必要なインフラの内部構造など、自分の考えた世界観をトンコハウスにスケッチで提示。オンライン会議などでアイデアのやりとりをしながらデザインを進めました。

Plan

初期のジオラマプラン。当初は、小さなスケールで、風車とダムと街全体を作る案が検討されました。

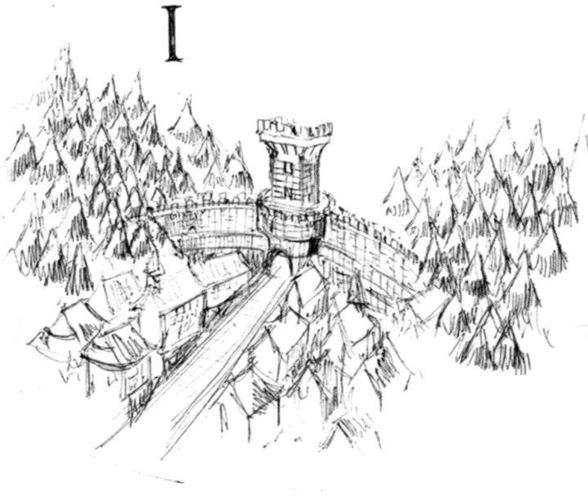

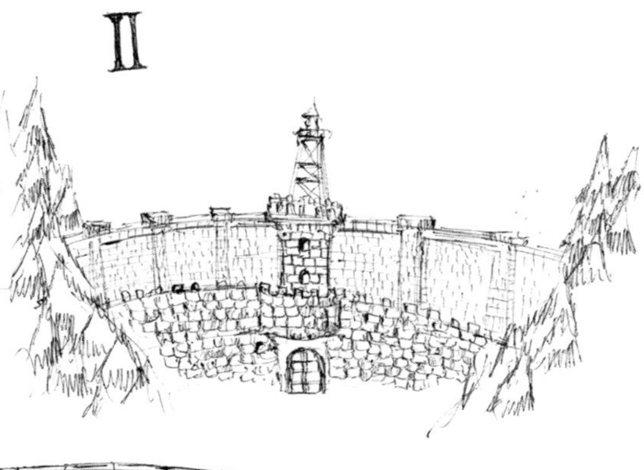

History

街の歴史のイメージ。囲われた城壁から始まり、大気汚染の脅威が高まるにつれて壁が増築され、ダムのように変化したという設定を妄想しました。

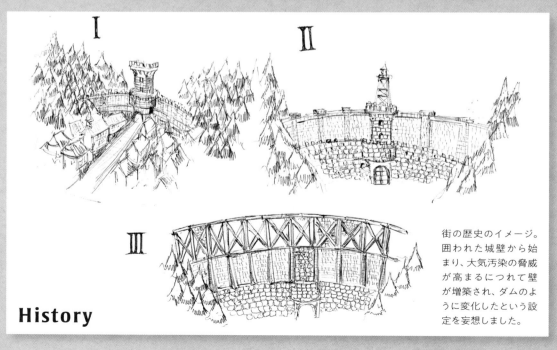

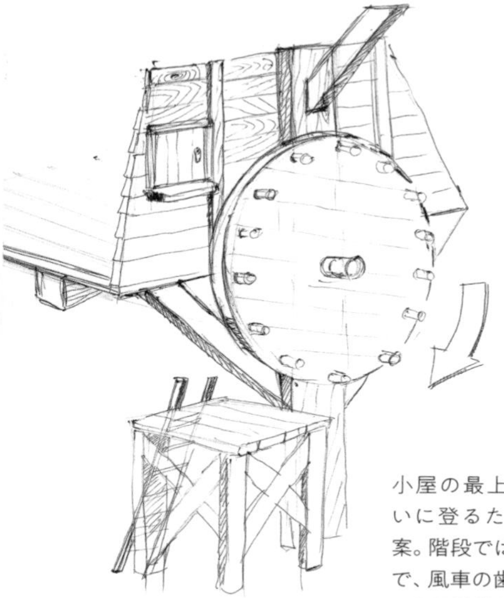

小屋の最上階の住まいに登るための構造案。階段では大変なので、風車の歯車を利用した昇降装置があったという妄想で。

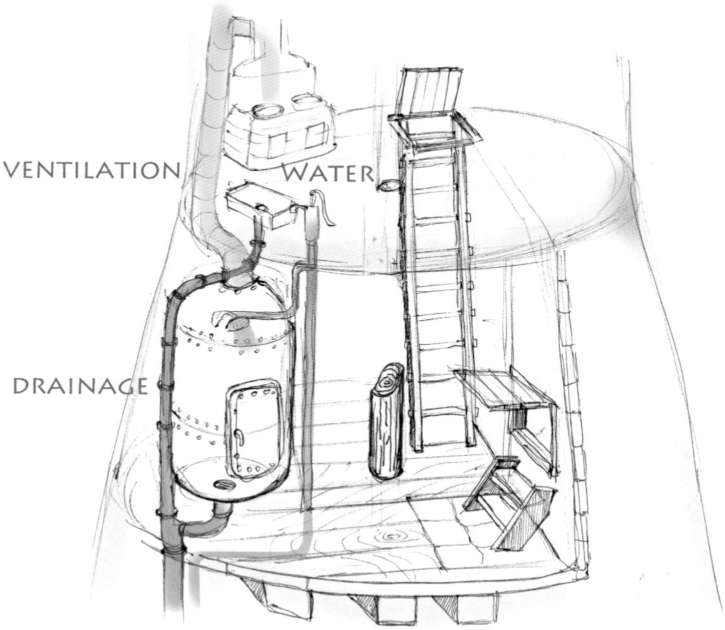

上下水道や煙突の構造案。最上階には、すでに竈《かまど》やベッドは設定されていましたが、さらに、大気汚染の煤《すす》で汚れた体を洗うためのシャワー室が必要だろうと考えて、リアルな配管や設置の位置などを妄想しました。

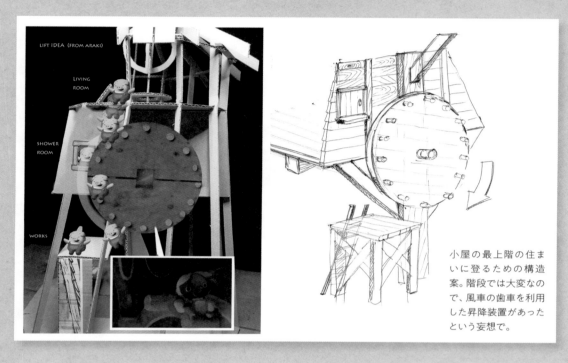

いつもは、ジオラマの建物の設計は描画ソフト「Illustrator」を使って細かい図面を描いています。しかし今回の風車小屋の設計は、このペーパーモックを型として、木工部品を切り出しながら作る方法で進めました。理由は、この風車小屋は、大工たちが、迫り来る大気汚染に対してとにかく早急に対応して作り上げたと状況設定したから。設計精度を詰めていった建築物ではないので、多少歪んでいるような作りがふさわしいと考えたのです。

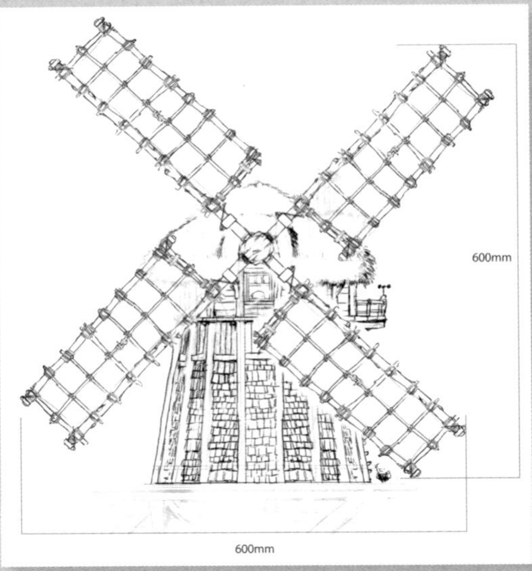

トンコハウスのロバート・コンドウさんから頂いた平面スケッチをもとに、風車小屋内に必要な部品と空間を考慮しながら、ダンボールでモックアップを制作しました。スケッチ通りの高さでは内部をリアルに設計できないことがわかり、優先させるのはスケッチかリアルさか？　を話し合い、私が提示したタテ長の比率とし、リアルさ優先で進めることに。私が東芝のデザイナー時代に培った経験から、打ち合わせには、スケッチよりも立体的なモックアップのほうが決定が早いと考えたことで、うまく進みました。

土台にはMDF材10㎜厚を正十一角形に切り出し、そこにロバートさんのスケッチにあった太い構造材としての柱を、ヒノキ棒で再現しはめ合わせていきました。できるだけ本物感を出すために、柱を組む部分では小さなホゾを掘って差し込みました。ミニチュアといえどもかなり強度がある構造になり、ロバートさんの設定画の精度に驚きました。特徴的な藁葺き屋根は、100円ショップで大量購入した卓上の藁箒《わらぼうき》を使い、実際の藁葺き構造と同じ重なり方で接着し、ハサミでカットして形状を整えました。

ロバートさんのスケッチにあった、木の薄板を重ねた作りの風車小屋の外壁は、木目を彫刻したスチレンボードと、ケント紙の表面にケガき針で木目を彫刻した物を貼り合わせて制作。塗装は、先に模型用のサーフェイサーで下塗りすると、湿気などの経年変化を防げます。ラッカー塗料のこげ茶色で全体を塗装したのちに紙ヤスリでこすり、木が日光にさらされて白化したような色の変化をつけています。さらに、雨だれや泥ハネなどをアクリル塗料で描いていきました。

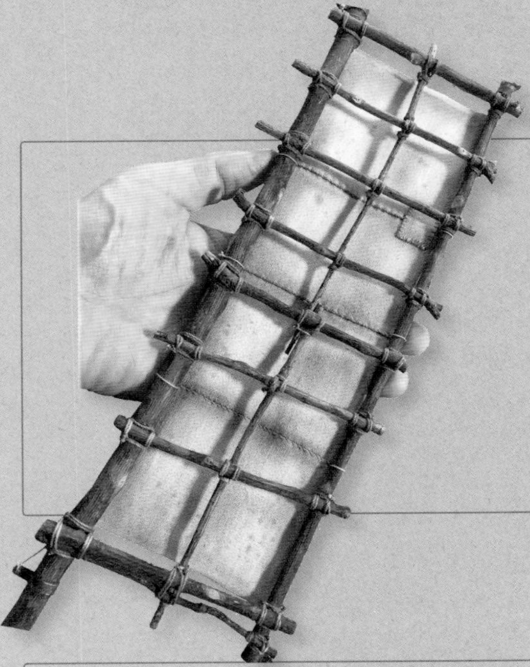

風車の羽根は、デザイン画通り、製材していない木をロープで縛って急ごしらえしたような感じを忠実に再現しました。まず、近所の森で拾ってきた桜の木の枯れ枝を、タコ糸で縛って骨を作ります。そこに、手ぬぐいに使われている生地を、縫い目がしっかり見えるように縫い合わせて、風受けの羽根に。縫い物はうちの奥さんに頼んでやってもらいました。

建物は、カットして断面から内部が見える構造に。最上階とその下のシャワー室と倉庫、そして、風車の羽根を回すためのバネを巻く巨大クランクがある部屋が覗けます。最上階の住居には、3Dプリントで制作した竈を設置、椅子やテーブルなど小物も置いて生活感を演出。風車を回す軸と接する歯車=ギア構造は、羽根を回すと実際に回転して動力が伝わるように作っています。

■完成サイズ　［W］600㎜［D］400㎜［H］700㎜
■再現スケール　約1/35
■完成日　2016年3月24日

#13

Reproduction of manga

小学館『週刊少年サンデー』

連載漫画「だがしかし」登場の駄菓子屋を再現

［1/24 scale］

完成した「シカダ駄菓子」を野外撮影

制作年	2016年
制作日数	35日
カテゴリー	イベント展示用
制作形式	漫画のリアル化ジオラマ制作
問い合わせ・発注方法	ブログのメールフォーム
発注者	小学館『週刊少年サンデー』編集部

漫画家憧れの「巻頭オールカラー」でジオラマ作家が紹介される経験も

『週刊少年サンデー』に連載されていた人気漫画「だがしかし」。登場人物は、破天荒な性格だが実は伝説のお菓子マスターである駄菓子屋経営の父親、その腕を見込んで引き抜きたいと思っている大手菓子メーカー社長令嬢、駄菓子屋を継げと強要されているが夢は漫画家という高校生の主人公、そしてその友人たちというシンプルな設定。実在する駄菓子についてのウンチクを語りながらほんのりラブストーリーも織り交ぜた物語です。

　その舞台「シカダ駄菓子」のジオラマ化のオファーがあったのは、２０１５年12月下旬。それは、毎年年始恒例の小学館のイベントの『少年サンデー』ブースで、「だがしかし」のジオラマを展示したいという依頼内容でした。

　漫画の面白さにすぐに魅了されたことに加えて、以前から作ってみたかった駄菓子屋という題材でかなりいいジオラマが作れる予感が！　そして、ジオラマが必要なのは２０１７年用！　なんと1年後に向けての打ち合わせという壮大な計画に加えて、「予算は確保してあります」という言葉でこの仕事はかなりいいぞ！　と期待値が上がりました。

　その場では具体的な金額は知らされずでしたが、トラブル回避で予算の話は最初に行う方針ですので、帰宅後すぐにメールで訊ねて戻ってきた金額に唖然としてしまいましたが、返答メールは頭が冷えてからていねいに書きました。「提示された金額はたとえばイラストとしてもそれほど高い金額でもなく、ましては立体物としてのジオラマはかなり手間がかかります。今回の制作では1ヶ月程度はかかると思われますが、もしも本当にその値段で作ったならば、私の月の報酬はそれオンリーということになります」そして、想定される金額と世間相場などを詳細に説明したメールを出しました。

　するとすぐにていねいなメールが来て、会議にかけるので待ってほしいとのこと。さすがにこの仕事は確実に流れるなと思っていたところ、「予算が確保できたので具体的な打ち合わせを……」と戻ってきました。狐につままれたとはこのこと。担当者が超優秀で予算を確保してきたのかわかりませんが、金額は確保され納期が1年あるという条件で契約書を発行してもらいました。

　よくツイッターやFacebookで、仕事の価値を安くみられたことの訴えやグチを見かけますが、感情を抑えてしっかりと交渉すると、思い通りの予算が確保できることを実証できました。

　漫画家憧れの「巻頭オールカラー」でジオラマ作家が紹介される経験ができたり、作者のコトヤマ先生とメールでジオラマ作りの進捗やりとりをしたり、たっぷり時間をかけられた夢のような仕事でした。

　そして、制作の進行に余裕があったので、制作過程の写真も多く撮影しており、このままジオラマを納品して終了はもったいないと考えて、このジオラマの作り方をまとめた本を提案！　編集部にもコトヤマ先生にも快諾して頂いて話が進んでいたのですが、様々な版権問題などでリスクが多く実現に至りませんでした。

　ですが、この経験をムダにしたくないと思い、２０１９年に完全にオリジナルで駄菓子屋を制作し、その作り方をガイドした本、『駄菓子屋の「超リアル」ジオラマ』を執筆するきっかけにもなりました。

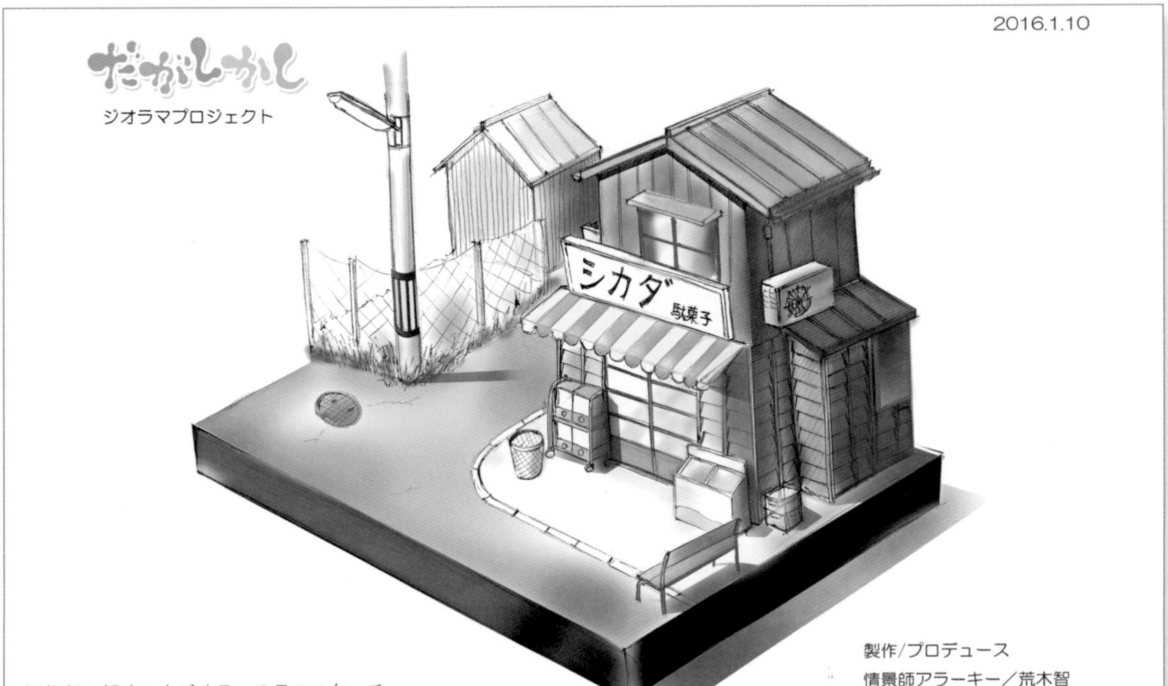

編集部に提出したジオラマのラフスケッチ

完成したジオラマを自宅のベランダで夕方に撮った写真

正面から見る際に、漫画によく登場する店の前と店内が同時に目に入ってくるよう、台に対して建物を斜めに置くレイアウトに。２階も断面にして中を見せて、漫画家を目指す主人公の部屋がわかります。右側面は、漫画には出てこないトイレと２階に上がる階段を作り、リアリティを加えています。

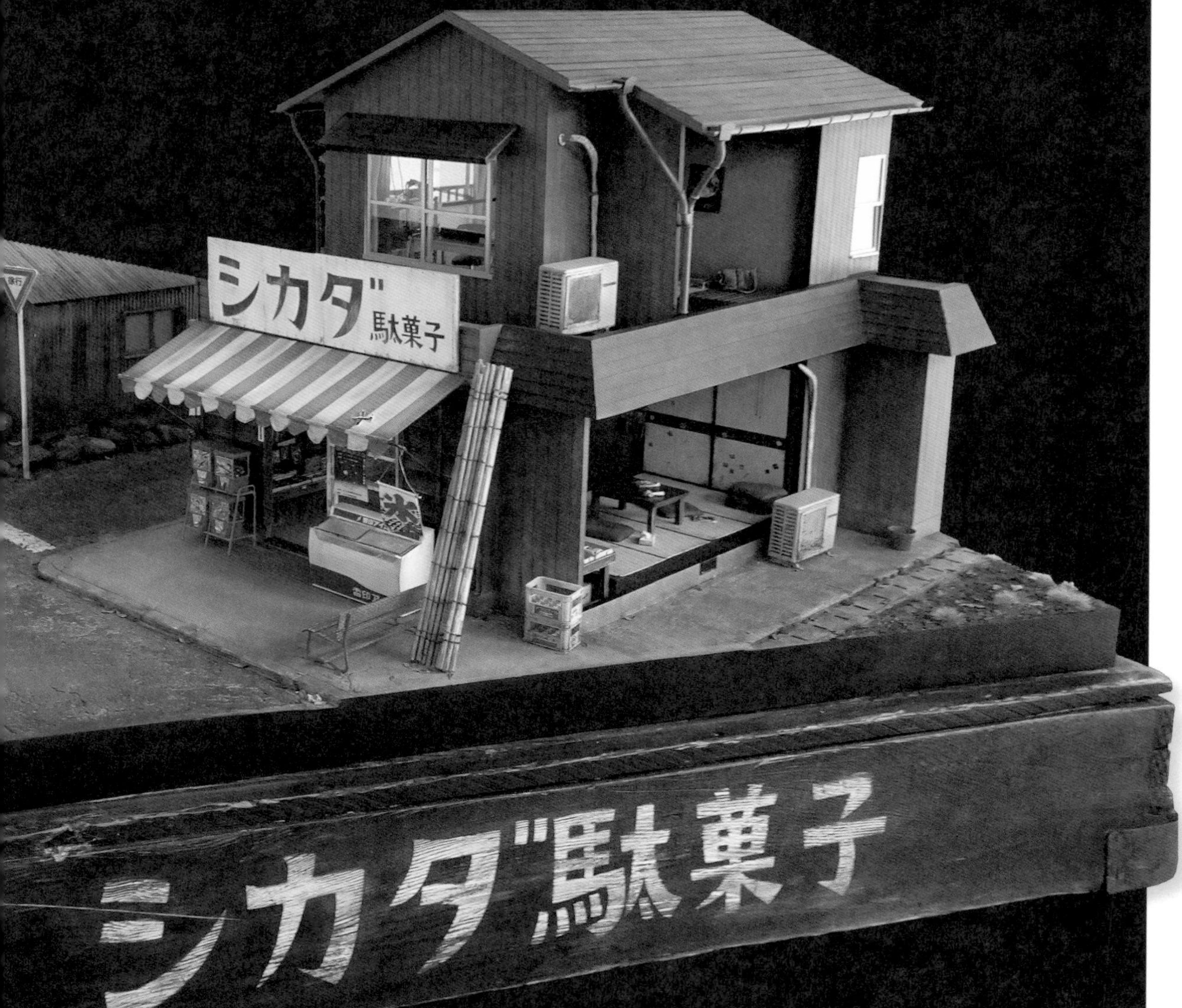

■完成サイズ　[W] 650㎜ [D] 400㎜ [H] 350㎜
■再現スケール　1/24
■完成日　2017年1月18日

Front

Left

Right

Top

Making

建物は、透明アクリル板2㎜厚を、専門業者に発注して部品をカット。接着は、アクリル専用の流し込み接着剤で。数分で固まり作業効率がいいので、博物館等の展示ミニチュアでは多用されています。
外壁は、古い日本家屋で使われている「下見板張り」というもので、薄い板材を上に少し重ねて貼り合わせていきます。実物のヒノキの薄材を使用。柱もヒノキの細材を使い、日本家屋特有の柱が表に出る構造を再現。
工作完成後は塗装。ていねいにマスキングしてから、外壁、内壁、柱を塗り分けます。柱類は、塗る作業が大変になりますが、塗装前にすべてを接着するのが私の流儀です。

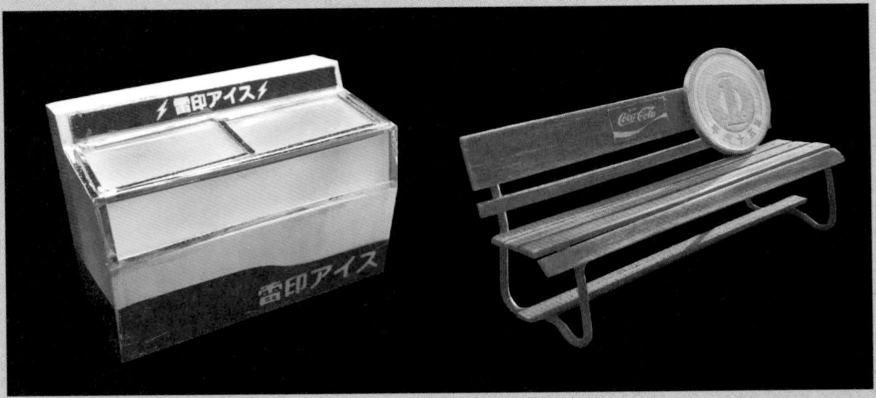

店の前にあるアイテム２種。アイスケースは、精度UPのため、レーザーカットした部品で組み上げた物。作業の効率化で建物の展開部品と一緒に発注しました。飲料メーカー提供のベンチは、真鍮線を曲げて工作した脚にヒノキ材を組み合わせ、本物と同じ部品構成で制作。エイジング加工は紙ヤスリで削って。

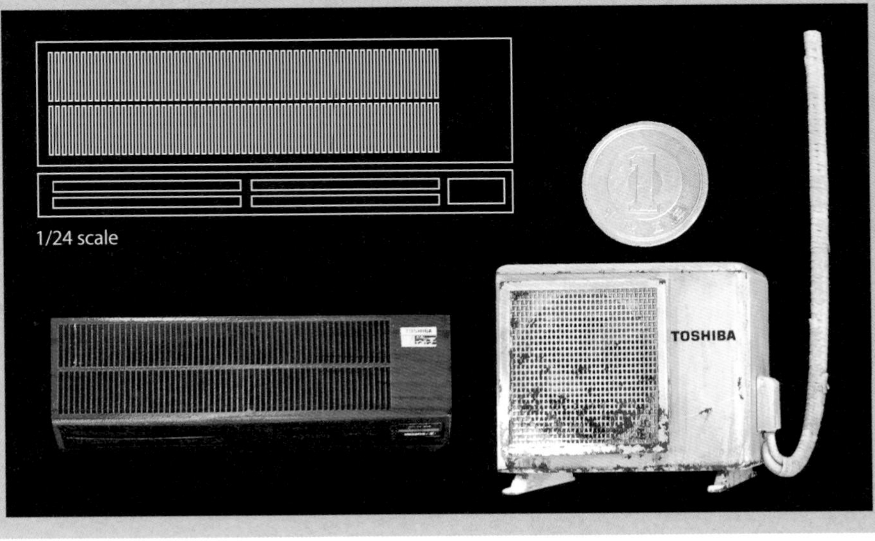

クーラーは、建物の外にも室内にも、緻密感と生活感をUPさせるアイテム。どちらも細かいスリットが決め手になる造形なので、これもレーザーカットにより再現しています。昭和50年代あたりの家具調の古いタイプのクーラーは、木目模様にとても存在感があるので、塗装時に茶と黒の濃淡をしっかりと塗り分けてリアルに仕上げています。

駄菓子屋の店内にあるメインの什器《じゅうき》は、漫画に登場する棚の様子を忠実に再現。漫画では、田舎の駄菓子屋にありがちな、棚にプラモデルが積まれている模型店も兼ねた店。その再現は、自分が持っている古いプラモの箱を開いて撮影したものを縮小プリントして制作。駄菓子も、実際に購入して撮影した物を同様の手法で組み立てました。素材収集や写真加工など平面状態でのグラフィック作業は思いのほか時間がかかるので、できる限り、行程の初期段階で終わらせておくことにしています。

駄菓子屋の主役と言っても過言でないガチャガチャ。透明ケースの精度UPのため、部品をレーザー加工して組み上げました。側面からチラリと見えるカプセルは緻密さの要となる造形！　球体のカプセルケースにする部品として、極小のガラスビーズを思いつき、穴をUVレジンで埋めた球体を半分で塗り分けて表現しました。

なお、上記の駄菓子やガチャガチャ、また、駄菓子屋の建物丸ごとの作り方までを、私の著書『駄菓子屋の［超リアル］ジオラマ』にて詳しく解説しております。

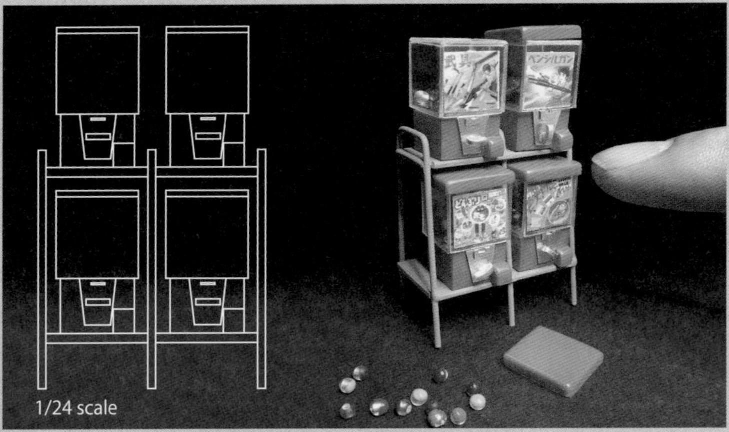

漫画家を夢見ている主人公の少年の部屋は2階。ジオラマのプランとして、断面からその部屋の中を見せる設計なので、漫画を描く作業机が見所になります。トレース台、デスクライト、鉛筆削り機などは、プラ板を使って手作り。ティッシュ、ポストイットなど生活感のディテール演出は、ジオラマ制作のもっとも楽しいプロセス！

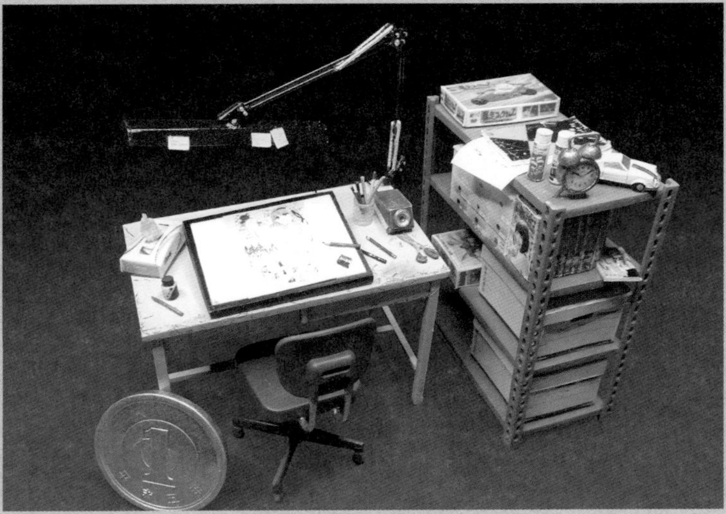

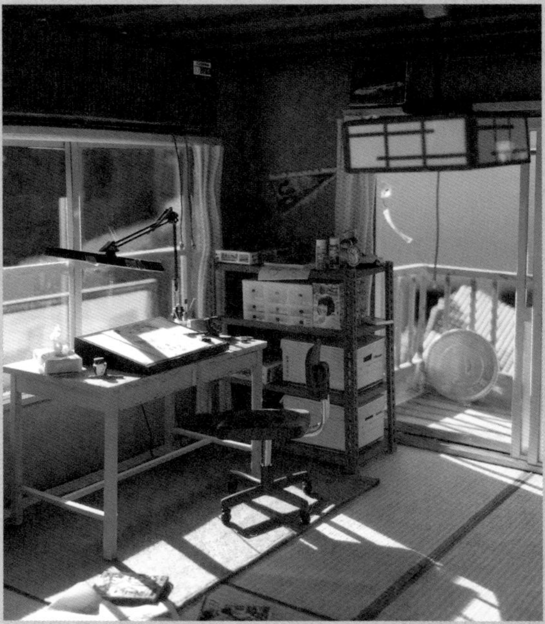

２階の主人公の部屋。ここは漫画にはあまり登場しないのですが、ジオラマとしては作り込みたく、漫画家を目指す高校生の部屋を自分なりに想像して制作しました。

店内の「吊るし玩具」。実際の商品の写真を縮小でプリントして制作。ビニール袋に入っているように見えるのは、透明の接着剤を盛るようにして再現。

店内全体は、漫画に描かれた状態を忠実に再現しました。漫画内では、中央の大きい棚の前で主人公たちが駄菓子のウンチクを語り合うという漫才のような展開がお決まりとなっていて、そこはステージのような「お約束の場所」。なので、棚の前で主人公たちが今まさに会話してる姿が見えてくるような空気感を演出しました。

#14

Shooting set

東映
「仮面ライダーセイバー」

撮影セット用

1/150 scale

制作年	2020年
制作日数	14日
カテゴリー	TV用セットジオラマ
制作形式	ジオラマのデザイン・監修・制作
問い合わせ・発注方法	Facebookで知人から
発注者	東映株式会社

撮影セットの建て込みを横目に巨大なジオラマ制作という夢の時間を

ツイッターで私のジオラマ作品が拡散して以来、私を知らなくとも作品は見たことがあると仕事に繋がることがあり、SNSの効果はありがたいと思うのですが、そんな繋がりから、仮面ライダーに携わるという奇跡が起きました！

仮面ライダー第1作の放映日が昭和46年4月3日、なんと私の誕生日と同じ！　3歳になった日に初めて見た仮面ライダーのかっこ良さはハッキリと脳裏に焼き付いています。巨大ではない等身大のヒーロー&怪人に、「本当にいるのかも」というリアリティを感じ、また、ライダーの相棒、オートバイのかっこ良さは衝撃で、今の私のバイク趣味は完全にそこから。

そんな、人生に大きな影響を及ぼしたヒーローとの縁はFacebookから。友人申請があった方は、平成仮面ライダーシリーズに多く携わってきた鈴村展弘監督ご本人でした！　とはいえ、お会いする機会はなかなかありません。SNSで繋がっている関係のまま5年ほど経過した2020年5月、メッセージが届きました。「次の新ライダーでジオラマが必要になり、ぜひお知恵をお借りしたい」夢のようなオファーです！　現番組プロデューサー高橋一浩さんを紹介されて電話で話をしました。

次の主人公が文筆家で書店を経営していて、本とジオラマが混在する楽しい空間にしたいという内容。もちろん即答で全面協力の気持ちを伝えました。しかし、その時私は、ガンダムの特撮CM用ジオラマを制作中で（本書には未掲載）、どこまで関われるか未確定でした。

数週間後に届いたメールには、「横幅3m、奥行き2mの巨大なジオラマをセットの中に作りたい」と。壮大な計画に膨らんでいたのです！　番組のシリーズ監督である柴﨑貴行監督から送られてきたメモには、西洋の街、火山、城、竜などが盛りだくさんでファンタジー感が溢れていました。それを2週間で作る……！　すぐに、その要望を想定制作期間内に実現できそうな素材や必要建物を配置したアイデアスケッチを描きました。制作予算内に収めるため、工夫で乗り切るしかありません。

そして6月初旬、憧れの東映撮影所での打ち合わせ。一番の課題はちょうどガンダムの仕事と納期が丸かぶりであること。仕方なく、メインの西洋の城の制作以外は、全体の図面、必要な材料の手配、制作のアドバイスまでを担当し、他はジオラマの経験は少ないが、なんでも作りこなせる大道具の職人さんに託すことに。

毎日の進捗やアドバイスはLINEのグループで共有しながら進めました。すると、コロナの影響で撮影のスケジュールが2週間ほど後ろにズレる嬉しい誤算により、仕事を終えた私が合流することができました。

台座とジオラマの基本工作は完了しており、残りはジオラマの総仕上げ。撮影セットの建て込みが進む真横で、2週間通いながらのジオラマ制作。徐々に完成に近づくセットを横目で見学しながら作業するという、夢の時間を過ごすことができました。

2020年9月6日、仮面ライダーセイバーの第1話の放映。エンディングのスタッフロールに「ジオラマ監修・仕上げ　情景師アラーキー」とクレジットされた名前を見て、自分の誕生日に仮面ライダー第1話を見た3歳の自分に教えてあげたいと、目頭が熱くなったのでした。

#14 東映「仮面ライダーセイバー」

最初の打ち合わせ時に提出したスケッチ

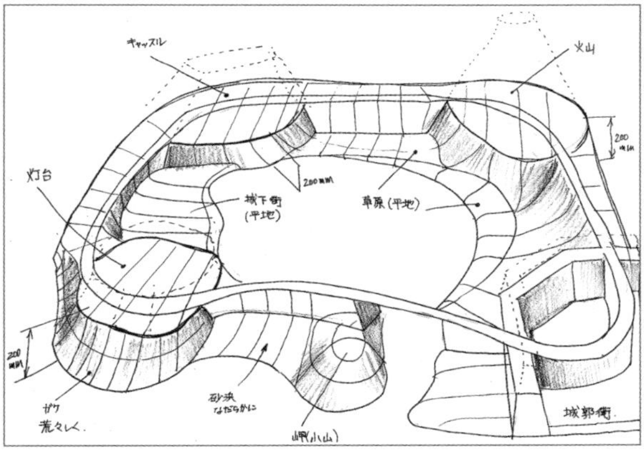

立体概念図

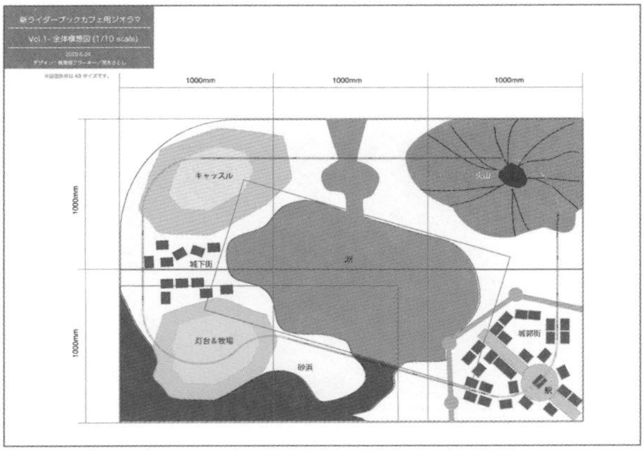

全体の配置図面

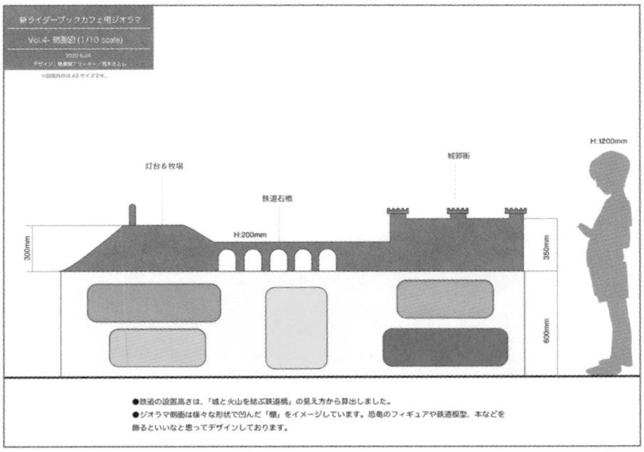

台座部分に本棚があるジオラマ側面図

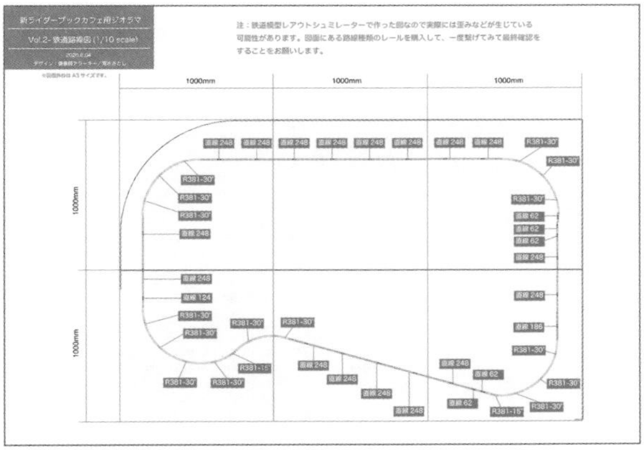

設置する鉄道模型のレールレイアウト図

さしい
ゴリラ
海へいく
いじゅうがいるいえ

#14 東映「仮面ライダーセイバー」

■完成サイズ［W］3000㎜［D］2000㎜［H］1300㎜　■再現スケール 1/150　■完成日 2020年9月1日

Making

私が描いたイメージスケッチと大まかな図面をもとに、大道具美術の内田太郎さん(やざぶ総建)に制作を進めて頂きました。映画やドラマでよく使われる、発砲スチロールの四角い塊(専門用語で「カポック」)から、電熱線でできたスチロールカッターで切り出してジオラマベースを制作していますが、この写真の状態になるのにたった3日ほど！しかも、「美術セットとしての岩や瓦礫《がれき》は作り慣れているけど、こういうジオラマを作るのは初めて」とのことで、プロの手の速さと応用力に驚きました！

大きなジオラマの右奥エリアは、「火山のある太古の世界」。全体の中でアクセントとなる大きな山には、市販の加湿器を仕込んで火山の煙を演出する提案をして制作して頂きました。火口周辺とそこから流れ出る溶岩を見立てた赤い発光は、加湿器使用のため防水加工された電池式のLED照明です。
火口の赤い炎を蝋燭《ろうそく》のように不均一なリズムで点灯させたく、ラインテープ式のLED照明を内側にぐるっと巻いてあります。赤い点灯が加湿器から出る煙を鼓動のように照らし、また、裂け目にもLED照明を配置しているので溶岩がドクドクと流れるような、映像映えする効果がありました。
これらの配線は一本化でシンプルにするため、発光速度などを調整できる基盤が入った市販のスイッチを繋いでいるだけの方法です。
よく見ると食玩フィギュアの恐竜がいたり、石粉粘土で制作したイースター島のモアイ像があったりと、不思議な世界観が表現できました。

城壁に守られた西洋の街（夏）

右手前のエリアは、城壁に囲まれた西洋の街。漫画「進撃の巨人」を思わせる高い壁は、その存在だけで緊張感を醸し出しています。そこに、急に別の世界から移動してきた空間がこの世に混在するという、仮面ライダーセイバーの物語が表現されているのです。なぜかこの街の隣に出現した、太古の恐竜や巨大な木のような生物から街を守らねばならないという背景があるのです。

建物は、主に市販の鉄道模型用のプラモデルを使っていますが、限られた制作時間と予算問題解決のため、柴崎監督と美術スタッフで手分けして、オークションサイトで完成済みの中古を集めてきた物で構成されています。追加塗装、手作りの旗（ガーランド）、電飾加工などで、賑やかな街を生み出しました。

妖艶な雰囲気の日本の城（春）

ジオラマレイアウトは、主に4つのエリア「火山のある太古の世界」「吸血鬼が住む西洋の城」「ノスタルジックな日本の港町」「城壁に守られた西洋の街」に区分し、各所に春夏秋冬を設定してファンタジー感溢れる世界にまとめました。
アイデアスケッチでは灯台があった場所には、制作途中に出た柴崎監督の要望、「日本の城が欲しいなぁ」を叶えるため、市販のお城のプラモデル（彦根城と高島城）をアレンジ。アニメ映画「千と千尋の神隠し」に登場する巨大銭湯「油屋」の雰囲気を取り込んだ、妖艶な雰囲気の城に仕上げました。城の周囲には春エリアを演出する桜の木があり、鉄道模型用のキットを使用。
この城の裏コンセプトは、戦国武将をモチーフにした仮面ライダーシリーズの「仮面ライダー鎧武（ガイム）」が住む城。城の周囲の幟旗《のぼりばた》に描かれた家紋は、柴崎監督家の実際の家紋です。

吸血鬼が住む西洋の城（冬）

レイアウト左奥にある西洋の城の裏コンセプトは、コウモリモチーフの「仮面ライダーキバ」が住む城。映画「ハリーポッター」に登場するホグワーツ城をイメージし、世界遺産であるドイツのノイシュバンシュタイン城のプラモデルをアレンジして制作しました。
荒々しい雰囲気を出すため、全体に石組みの彫刻を施し、上部の塔を増やして、絵本に登場するような華麗なイメージを消しました。城が乗る土台部は、ジオラマベースと同じく発泡スチロール。日本の城と西洋の城は撮影の際の「映え」を考慮し、特に要望にはなかった室内の照明を設置。低コストで配線工事が楽なクリスマスのイルミネーションを応用しました。放映時には狙った通り、とてもいい雰囲気の画が作られていました。

ノスタルジックな日本の港町（初春）

ジオラマ左中央には、昭和の雰囲気が残るノスタルジックな港町が広がります。私のスケッチでは、西洋の城下町を描きましたが、制作時間の短縮と費用を抑えるため、鉄道模型用の完成済みの建物やキットを応用する必要があり、ジオラマのメイン制作を担当してくれた内田さんの設計で、港に向けてひな壇地形となった日本の小さな港町となりました。

私は基本工作を終えた状態でバトンを受け取り、7月中旬から2週間、東映撮影所に通って最終仕上げを行いました。この街は、冬のエリアの西洋の城と春のエリアの日本の城の間に位置するので、うっすらと雪が残りつつも梅が咲く初春の風景としてまとめました。

この街では、ちょっとした遊びとして、歴代の仮面ライダーに登場した店や名前をモチーフにした看板を自作して設置。TV撮影でチラッと映った街にそれらを見つけた仮面ライダーファンが喜ぶ仕掛けを加味しています。

［おわりに］

頭の中に描いた世界が完成し喜んでもらえた時は苦労が帳消しに！

この本を書くにあたりあらためて、2015～20年までの自分の仕事を整理分析して俯瞰してみたのですが、「ジオラマの仕事ってなんて幅広くバラエティに富んでいるのだろう」と、1つ1つの仕事を思い出して、またワクワクしてしまいました。

実はこの本に掲載された事例はすべてではなく、もう1冊書けるほどの件数のジオラマ仕事がありました。水族館の飼育員が小学校の移動教室に使う目的で依頼されたミニ水族館の仕事。昭和30年代の名古屋の駅前にあった古い商店街の住民からの依頼で、その頃の風景をジオラマで再現するテレビ番組の仕事。ガンプラを使って宇宙の特撮シーンを作るCMの仕事。コンセプトから参加して3年かけて作り上げた広大なジオラマのテーマパークを作る仕事。あなたの夢をジオラマで自由に作りますというデパートのお年玉企画の仕事。玩具メーカーの商品コンサルティングの仕事。

それ以外にも自分がもう1人欲しいと思えるほどのスケジュールの重なりで、断らなければならなかった面白そうな仕事や、その内容なら自分よりも他の作家や制作会社のほうが向いていると、連絡先やアドバイスを伝えた、利益ゼロのお節介も（笑）多々ありました。

あ、そう言えば、仕事とは違いますが、建築学部の卒業制作のアドバイスを求められたり、お父さんからの依頼で中学生の娘さんの夏休みの研究で作るジオラマのアドバイスをしてあげたことも！　振り返るとすでに10年分の仕事をした気になるぐらい、こんな仕事もあるの！　と驚く依頼ばかりです。

「自分の趣味を職業にしないほうがいい」という声を聞くことがありますが、私の場合はどうだったか？　と問われると、独立してから現時点まで、「ず～っと年休をもらって趣味のジオラマ作りをやっている」気分です。趣味を仕事にしてつらさはないのかと問われると、締め切り間際になった時、「ああ、もう少し若ければここで踏ん張りがきき集中力が続いてやりたかったことがもっと実現できるのに」と、年齢による体力や集中力の限界に対してつらいと感じる程度です。もちろんすべてがうまくいったわけではなく、眠れなくなるほど悔しい思いをしたことも多々です。

しかし、依頼されてまず頭の中に描いた世界が、徐々に形になって完成した時の達成感、それを依頼者に受け取って喜んでもらえた時の多幸感、さらにそれを使ったイベントや広告を見て楽しそうな姿を目にすると、すべての苦労や苦悩が帳消しです！

自分も嬉しいがみんなも嬉しい。こんな素敵な仕事が他にあるか？　そう思いながら、この文章を書き上げたらすぐに、次なる、意外性溢れる広告ジオラマを作るのです。そこに夢を乗せて！

Profile

情景師アラーキー
荒木 智（あらき・さとし）

1969年生まれ、東京都在住。
幼少の頃に母親に教わった「箱庭づくり」と特撮映画の影響で模型に興味を持ち、プラモデル三昧の少年時代を過ごす。
中学時代に手にした模型雑誌から手法を習得し、本格的にジオラマ作りを開始、各種模型コンテストに出品し腕を磨く。
ものづくりの楽しさを生業とすることを決心し、大学で工業デザインを学び、1993年、東芝にプロダクトデザイナーとして入社。
以降、趣味としてジオラマ制作を続け、30代前半、模型コンテストの受賞をきっかけに、
各種模型雑誌からの依頼を受け、ジオラマ作品を多数発表。
サラリーマンとジオラマ作家、二足のわらじで活動を続ける。
2014年にネットで拡散した作品が、「リアル過ぎるジオラマ」としてテレビなどメディアで大きな反響を呼ぶ。
2015年にジオラマ作家として独立。
2016年に『作る！超リアルなジオラマ』、2018年に『凄い！ ジオラマ［改］』、
2019年に『駄菓子屋の［超リアル］ジオラマ』を上梓（すべて誠文堂新光社）。
CM用、博物館用、イベント用ジオラマの制作、玩具メーカーの企画など、ジオラマ界にて広く活躍中。

▶ジオラマ制作ブログ［情景師アラーキーのジオラマでショー］
▶Twitter　arakichi1969

Staff

■ジオラマ・撮影・文／荒木 智（情景師アラーキー）
■企画・プロデュース・編集／石黒謙吾
■デザイン／穴田淳子（a more design Room）
■編集／渡会拓哉（誠文堂新光社）
■制作／ブルー・オレンジ・スタジアム

［協力］
■掲載した14社の対象企業さまと、
　その仕事を依頼してくださったみなさま。
■ウェブカッフェ「れとろ駅舎」
　http://www.retro-station.jp/index.html

［スペシャルサンクス］
ジオラマ作家になりたいと無謀すぎる夢を許して
応援してくれた妻・荒木美香に。

ステキな広告《こうこく》ジオラマ
企業《きぎょう》14社《しゃ》が思《おも》わず依頼《いらい》した「情景《じょうけい》」の魅力《みりょく》

2021年2月20日　発　行　　NDC507.9

著　者　情景《じょうけい》師《し》アラーキー
発行者　小川雄一
発行所　株式会社 誠文堂新光社
〒113-0033　東京都文京区本郷3-3-11
（編集）電話03-5805-7765
（販売）電話03-5800-5780
https://www.seibundo-shinkosha.net/

印刷所　株式会社 大熊整美堂
製本所　和光堂 株式会社

ISBN 978-4-416-52147-2